L'ÉVO
PSYCHOLOGIQUE
DE L'ENFANT

L'ÉVOLUTION PSYCHOLOGIQUE DE L'ENFANT

HENRI WALLON

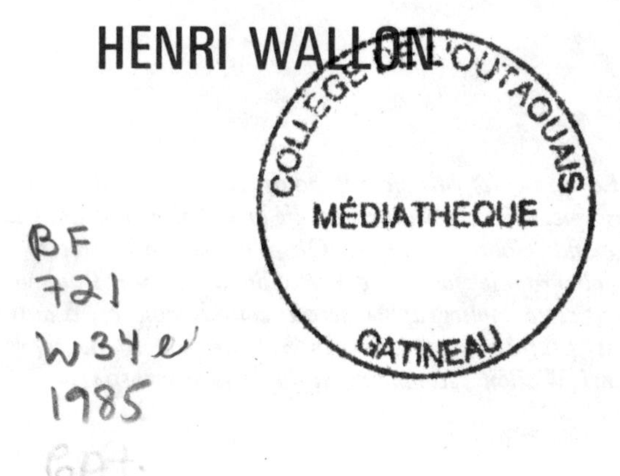

ARMAND COLIN
103, boulevard Saint-Michel, PARIS Ve

La présente édition reproduit le texte de l'ouvrage, devenu classique, d'Henri Wallon, publié la première fois dans la collection Armand Colin en 1941. On n'a pas cru devoir modifier la « bibliographie sommaire » établie alors par l'auteur : mise à jour, cette bibliographie serait considérable et, d'autre part, il n'est peut-être pas sans intérêt de savoir de quels ouvrages Henri Wallon recommandait la lecture en 1941.

Document de couverture : photo VERO – Paris.

ISBN 2-200-32127-9

PRÉFACE

Au cours des trente dernières années, la psychologie de l'enfant a pris une importance et une influence croissantes. Elle a moins reçu de la psychologie traditionnelle qu'elle n'a contribué à modifier ses points de vue, ses principes et à l'enrichir de méthodes nouvelles. Elle a dû, en effet, pour atteindre « l'âme de l'enfant », délaisser les cadres abstraits entre lesquels l'introspection de l'adulte et son matériel verbal avaient divisé les activités psychiques de l'homme. A l'analyse purement idéologique d'un contenu mental type, mais en fait aussi contingent et provisoire que neutre et impersonnel, elle a dû substituer des observations et des expériences sur les efficiences réellement en jeu dans l'activité et la vie des enfants. Autant ses investigations pouvaient être gênées ou faussées par une cartographie de l'esprit dont les délimitations se fondaient sur une nomenclature et des concepts qui ignorent les relations ou les changements d'où surgit l'acte psychique, autant les différences qu'elle avait à constater entre les conduites de l'adulte et celles de l'enfant, entre les conduites aux différents âges de l'enfance, avaient de quoi révéler, d'étapes en étapes, le véritable plan de la vie mentale.

Ce sont les besoins de la pratique qui les premiers ont fait sentir entre la réalité et les schèmes utilisés pour expliquer les opérations psychiques un désaccord fondamental. Ce sont des problèmes pédagogiques qui ont incité à chercher d'autres procédés pour évaluer et utiliser les forces et les formes du développement psychique chez l'enfant. Le simple besoin de discerner avec quelque rigueur l'aptitude ou l'inaptitude des écoliers a fait élaborer par Binet et Simon leur échelle métrique de l'intelligence, qui a donné à l'emploi systématique des tests une impulsion, dont la psychotechnique est aujourd'hui en grande partie la conséquence. Sans être à proprement parler psychologue, un éducateur philosophe comme Dewey, pour avoir préconisé l'accord entre le plus libre déploiement de toutes les énergies en puissance chez l'enfant et le milieu, a ouvert la voie, non seulement à de multiples essais pratiques d'éducation, mais aussi à des recherches sur les besoins d'activité chez l'enfant et sur l'influence qu'il subit des milieux où il se trouve. Dans l'œuvre d'un Decroly, il est difficile de distinguer entre la pédagogie et la psychologie : la nécessité d'approprier aux moyens et aux intérêts de l'enfant l'objet de ses études a eu pour résultat de faire constater des différences importantes entre ses façons de percevoir ou de comprendre et celles de l'adulte. C'est autour de l'Institut J.-J. Rousseau à Genève, où le but est de donner à chaque enfant une « éducation sur mesure », que se sont groupés des psychologues comme Claparède, Bovet, Piaget. Même souci de confrontation étroite entre l'écolier et l'enfant chez Bourjade, de Lyon.

La comparaison ne s'est pas bornée à celle de l'enfant avec l'adulte ou avec lui-même. Elle a aussi cherché dans le pathologique des exemples de variations concomitantes, d'où puissent se déduire des relations de causalité également applicables au normal. Une altération survenue au cours du développement, qui touche l'un quelconque de ses facteurs, aura des conséquences d'autant plus instructives qu'il lui arrivera d'abolir tout un ensemble de fonctions, ou de fixer le comportement à un stade incomplet, ou de susciter des compensations qui mettront en évidence des rapports habituellement difficiles à discerner. Cette méthode de confrontation psycho-pathologique, très en faveur en France depuis Ribot, ne pouvait manquer d'y susciter d'importants travaux dans le domaine de la psychologie enfantine. Mais elle a donné de précieux résultats dans d'autres pays aussi, notamment en U. R. S. S. avec Gourevitch, Oseretzki et leur école.

De son côté, la psychologie comparée de l'homme et des animaux est sortie des généralités fonctionnelles pour mettre en parallèle de façon très précise l'enfant et l'animal le plus proche de l'homme, le singe. En présence des mêmes situations, des mêmes difficultés, leur comportement est-il semblable ou diffère-t-il ? S'il y a ressemblance initiale, à quel âge, à quel stade du développement, sous quelles influences et sous quelle forme s'affirment les différences ? Parmi les premières observations de cet ordre, il faut citer celles de Boutan, parmi les plus systématiques et les plus continues, celles de Kellog et de Mme Kellog. Sans avoir institué de confrontation explicite, Paul Guillaume s'est partagé entre la psychologie de l'enfant et celle du singe.

Plus floue, plus contestable aussi dans ses velléités d'assimilation, la comparaison de la mentalité enfantine et de la mentalité primitive a du moins ce mérite de mettre en regard les effets dus à la croissance graduelle des aptitudes chez l'enfant et ceux qui sont liés à un certain niveau de civilisation, à un certain matériel idéologique, verbal, technique. Ce n'est là, d'ailleurs, qu'un degré extrême des influences que peuvent exercer sur le développement psychique d'une population ou d'une fraction de population son régime de vie, son milieu social. Pour la période présente aussi des enquêtes à ce sujet ont été entreprises, en particulier par des psychologues américains et des psychologues soviétiques.

Les simples observations descriptives tiennent évidemment une grande place dans la psychologie de l'enfant et principalement dans celle du premier âge. Très souvent des interprétations constructives s'y sont superposées. Celles de W. Stern par exemple, qui a essayé de montrer qu'entre toutes les manifestations psychiques il y a une sorte d'unité profonde, un lien essentiel : la personnalité du sujet, sans laquelle il serait impossible de les expliquer. Celles de Koffka, qui s'efforce de reconnaître les structures dont elles sont la manifestation. Toute perception, mais aussi toute sorte de conduite répond à une « forme », qui donne à tous les détails ou éléments leur place, leur rôle, leur signification. C'est l'ensemble qui est déterminant, non les parties. Il varie, non seulement avec les circonstances et les situations, mais selon des prédispositions ou virtualités dynamiques propres au sujet lui-même et qui dépendent des circuits susceptibles de s'ouvrir dans son système nerveux, en étroite continuité tant avec ses appareils sensoriels qu'avec ses appareils moteurs. Entre les différents âges de l'enfant et de l'homme, les possibilités de structures diffèrent.

Les résultats de ces diverses méthodes aboutissent à distinguer entre les aspects parfois opposés que présente la vie psychique au cours de son développement. Ces aspects sont des étapes dont l'ordre de succession importe au premier chef, et des psychologues comme Gesell ont entrepris de rassembler méthodiquement des documents non seulement descriptifs, mais cinématographiques sur la diversité des réactions suivant l'âge. Ce genre d'observations est d'importance essentielle. Car la succession témoigne d'une filiation, souvent complexe d'ailleurs en raison d'interférences variées, entre différentes sortes de facteurs. Facteurs et filiation répondent au principe même de la psychologie enfantine, s'il est vrai que l'enfance a dans la vie de l'individu une valeur fonctionnelle, comme période où s'achève de se réaliser en lui le type de l'espèce. C'est ce point de vue psychogénétique qui est adopté ici.

première partie

L'ENFANCE ET SON ÉTUDE

CHAPITRE 1

L'ENFANT ET L'ADULTE

L'enfant ne sait que vivre son enfance. La connaître appartient à l'adulte. Mais qui va l'emporter dans cette connaissance, le point de vue de l'adulte ou celui de l'enfant ?

Si l'homme a toujours commencé par se mettre lui-même dans les objets de sa connaissance, en leur prêtant une existence et une activité conformes à l'image qu'il se fait des siennes, combien cette tentation ne doit-elle pas être forte à l'égard d'un être qui procède de lui et doit lui devenir semblable — l'enfant, dont il surveille, dont il guide la croissance et à qui il lui semble souvent bien difficile de ne pas attribuer des motifs ou des sentiments complémentaires des siens. A son anthropomorphisme spontané, que d'occasions, que de prétextes, que d'apparentes justifications ! Sa sollicitude est un dialogue où il supplée par un effort d'intuitive sympathie aux réponses qu'il n'obtient pas, où il interprète les moindres indices, où il croit pouvoir compléter des manifestations lacunaires et inconsistantes, en les ramenant à un système de références[1],

1. Muzafer Sherif, *The Psychology of Social Norms*, New York, Harpers et Br., 1938.

qui est fait de quoi ? des intérêts qu'il sait être ceux de l'enfant et dont il lui prête une conscience plus ou moins obscure, des prédestinations dont il voudrait saisir en lui la promesse, des habitudes, des convenances mentales ou sociales avec lesquelles il s'est plus ou moins identifié lui-même, et aussi des souvenirs qu'il s'imagine avoir gardés de sa propre enfance. Or on sait que nos premiers souvenirs varient avec l'âge où ils sont évoqués et que tout souvenir travaille en nous sous l'influence de notre évolution psychique, de nos dispositions et des situations. A moins d'être solidement encadré dans un complexe de circonstances objectivement repérables, ce qui est rarement le cas lorsqu'il est d'origine infantile, un souvenir risque beaucoup d'être plus à l'image du présent que du passé. C'est ainsi en l'assimilant à soi que l'adulte prétend pénétrer l'âme de l'enfant.

Entre l'enfant et lui, il reconnaît pourtant des différences. Mais il les ramène le plus souvent à une soustraction : elles sont de degré ou quantitatives. Se comparant l'enfant, il le voit ou relativement ou totalement inapte en présence des actions ou des tâches qu'il peut lui-même exécuter. Assurément, ces inaptitudes peuvent donner lieu à des mesures qui, assemblées convenablement, pourront mettre en évidence des proportions et une configuration psychique différentes chez l'enfant et chez l'adulte. A ce titre elles prendront une signification positive. Mais l'enfant n'en reste pas moins ainsi une simple réduction de l'adulte.

La soustraction peut s'opérer pourtant de façon plus qualitative, si les différences successives d'aptitudes que présente l'enfant sont rassemblées en systèmes et si une période déterminée de la croissance est assignable à chaque système. Alors il s'agira d'étapes ou de stades à chacun desquels répondra un certain lot des aptitudes ou des caractères que l'enfant doit acquérir pour devenir adulte. L'adolescent serait l'adulte amputé du stade le plus récent de son développement, et ainsi de suite, en remontant d'âge en âge, jusqu'à la première enfance. Mais, si spécifiques que puissent apparaître les effets propres à chaque étape, ils n'en restent pas moins, dans cette hypothèse, des caractères s'ajoutant à d'autres pour réaliser l'adulte ; et la progression est encore essentiellement quantitative.

L'égocentrisme de l'adulte peut enfin se manifester par sa conviction que toute évolution mentale a pour terme inéluctable ses propres façons de sentir et de penser, celles de son milieu et de son époque. S'il lui arrive, par ailleurs, de reconnaître que celles de l'enfant sont spécifiquement différentes des siennes, alors il n'a pas d'autre alternative que de les tenir pour une aberration. Aberration constante, sans doute, et à ce titre aussi nécessaire, aussi normale que son propre système idéologique ; aberration dont il faut bien chercher à démontrer le mécanisme. Mais une question préalable se pose : c'est la réalité de cette aberration. Est-il vrai que la mentalité de l'enfant et celle de l'adulte soient hétéronomes ? que le passage de l'une à l'autre suppose une conversion totale ? que les principes auxquels l'adulte croit sa propre pensée liée soient une norme immuable et inflexible qui permette de rejeter celle de l'enfant en dehors de la raison ? que les conclusions intellectuelles de l'enfant n'aient aucun rapport avec celles de l'adulte ? Et l'intelligence de l'adulte aurait-elle pu rester féconde si elle avait réellement dû se détourner des sources d'où jaillit celle de l'enfant ?

Une autre attitude pourrait consister à observer l'enfant dans son développement, en le prenant lui-même pour point de départ, à le suivre au cours de ses âges successifs et à étudier les stades correspondants, sans les soumettre à la censure préalable de nos définitions logiques. Pour qui les envisage chacun dans sa totalité, leur succession apparaît comme discontinue ; le passage de l'un à l'autre n'est pas une simple amplification, mais un remaniement ; des activités prépondérantes dans le premier sont réduites et parfois supprimées en apparence dans le suivant. Entre les deux, il semble souvent que s'ouvre une crise dont la conduite de l'enfant peut être visiblement affectée. Des conflits ponctuent donc la croissance, comme s'il y avait à choisir entre un ancien et un nouveau type d'activité. Celle des deux qui subit la loi de l'autre doit se transformer, et elle perd dans la suite son pouvoir de régler utilement le comportement du sujet. Mais la manière dont le conflit se résout n'est pas absolue ni nécessairement uniforme chez tous. Et elle marque chacun de son empreinte.

De ces conflits, certains ont été résolus par l'espèce, c'est-à-dire que le seul fait de sa croissance amène l'individu à les résoudre aussi. Pour prendre un exemple, le système moteur de l'homme présente une stratification d'activités dont les centres s'échelonnent sur l'axe cérébro-spinal dans l'ordre de leur apparition au cours de l'évolution. Elles entrent en jeu successivement durant la première enfance, à peu de chose près dans la forme où elles vont pouvoir s'intégrer aux systèmes qui les ont suivies et qui les ont modifiées, si bien que leur exercice isolé ne peut déjà plus donner que des effets partiels et le plus souvent inutiles. Mais plus tard, s'il arrive qu'une influence pathologique les fasse échapper au contrôle des fonctions qui les avaient englobées, l'obstacle qu'elles leur opposent démontre l'existence du conflit latent qui persistait entre elles. Même à l'état normal d'ailleurs, l'intégration peut être plus ou moins stricte entre les différents appareils de l'organe moteur. D'où la grande diversité des complexions motrices. Mais c'est dans le domaine des fonctions psychomotrices et psychiques qu'elle est souvent le plus lâche, si bien que le conflit n'est jamais tout à fait réglé : ainsi entre l'émotion et l'activité intellectuelle, qui répondent manifestement à deux étages distincts des centres nerveux et à deux étapes successives de l'évolution mentale.

Pour d'autres conflits, il appartient à l'individu lui-même de les résoudre. Tantôt leur objet est d'importance si fondamentale qu'une seule issue est normale, tantôt au contraire il est plus contingent et la solution plus facultative. Les élevant à une sorte de généralité mythique, Freud les ramène essentiellement à un conflit entre l'instinct de l'espèce qui se traduit en chacun par le désir sexuel ou *libido* et les exigences de la vie en société. Refoulements d'une part, subterfuges de l'autre pour tromper la vigilance de la censure, feront de la vie psychique un drame continu. Toute l'évolution mentale de l'enfant sera commandée par les fixations successives de la libido sur les objets à sa portée. Elle aura donc à se détacher des premiers rencontrés pour progresser vers d'autres. Choix qui ne va pas sans souffrances, sans regrets ni sans régressions éventuelles. Choix qu'il n'est pas d'ailleurs nécessaire d'imputer à l'instinct sexuel et dont il s'observe bien des indices chez l'enfant. En dépit du choix, rien n'est détruit de ce qui est abandonné, rien même n'est sans action de ce qui est dépassé. A chaque étape franchie, l'enfant laisse derrière lui des possibilités qui ne sont pas mortes.

La réalisation, par l'enfant, de l'adulte qu'il doit devenir ne suit donc pas un tracé sans traverses, bifurcations ni détours. Les orientations maîtresses auxquelles il obéit normalement n'en sont pas moins une occasion fréquente d'incertitudes et d'hésitations. Mais combien d'autres occasions plus fortuites viennent aussi l'obliger à choisir entre l'effort ou le renoncement ! Elles surgissent du milieu, milieu des personnes et milieu des choses. Sa mère, ses proches, ses rencontres habituelles ou insolites, l'école : autant de contacts, de relations et structures diverses, d'institutions par lesquelles il doit s'emmailler, de gré ou de force, dans la société. Le langage interpose entre lui et ses désirs, entre lui et les gens un obstacle ou un instrument qu'il peut être tenté soit de tourner, soit de maîtriser. Les objets, et d'abord les plus proches de lui, les objets façonnés, son bol, sa cuiller, son pot, ses vêtements, l'électricité, la radio, les techniques les plus ancestrales comme les plus récentes sont pour lui gêne, problème ou aide, le rebutent ou l'attirent, et façonnent son activité.

C'est en définitive le monde des adultes que le milieu lui impose, et il en résulte, à chaque époque, une certaine uniformité de formation mentale. Mais il ne s'ensuit pas pour l'adulte le droit de ne connaître dans l'enfant que ce qu'il y met. Et d'abord la manière dont l'enfant se l'assimile peut n'avoir aucune ressemblance avec la manière dont l'adulte lui-même en use. Si l'adulte dépasse l'enfant, l'enfant à sa manière dépasse l'adulte. Il a des disponibilités psychiques qu'un autre milieu utiliserait autrement. Déjà bien des difficultés collectivement surmontées par les groupes sociaux ont permis à beaucoup d'entre elles de se manifester. La civilisation aidant, d'autres élargissements de la raison et de la sensibilité ne sont-ils pas en puissance chez l'enfant ?

CHAPITRE 2

COMMENT ÉTUDIER L'ENFANT ?

Alors que de vastes domaines de la connaissance ont vu l'expérimentation supplanter la simple observation, le rôle de l'observation reste prépondérant dans des parties étendues de la psychologie. C'est de l'expérimentation que sont nées la physique et la chimie. En biologie, elle ne cesse d'élargir son champ d'action, et la physiologie lui appartient presque complètement. A l'imitation de la physiologie, il s'est créé une psychologie expérimentale. Mais la psychologie de l'enfant, ou du moins celle de la première enfance, relève à peu près exclusivement de l'observation.

Expérimenter, c'est réaliser certaines conditions dans lesquelles certains effets doivent se produire, c'est tout au moins introduire dans les conditions une modification connue et noter les modifications correspondantes de l'effet. Ainsi pourra-t-on comparer l'effet à sa cause et les mesurer l'un par l'autre. Il n'est d'ailleurs pas nécessaire d'intervenir dans la production de l'effet lui-même ; il peut suffire de modifier les conditions de l'observation. Ainsi des objets qui échappent à notre atteinte, comme les astres, peuvent-ils donner lieu à de véritables expériences physico-chimiques, en utilisant la spectroscopie ou la photographie. A supposer les difficultés techniques de l'expérimentation résolues, ne lui échapperaient donc que les objets dont il serait impossible de modifier les conditions soit d'existence, soit d'observation, sans que de ce fait ils s'évanouissent. Tel serait le cas de ces ensembles où c'est l'ensemble dans son intégralité originale qui constitue le fait à étudier. On pourrait de cela trouver de nombreux exemples en psychologie ou en biologie.

Mais la contre-partie, c'est que l'ensemble doit être en effet saisissable solidairement dans toutes ses parties. Par là, sans aucun doute, la première enfance est un objet de choix pour la pure observation. Jusqu'à 3 ou 4 ans, l'enfant peut ne pas échapper au même observateur. Toutes les circonstances de sa vie et de son comportement seront ainsi notées. C'est ce que se sont efforcés de faire des auteurs comme Preyer, Pérez, Major, W. Stern, Decroly, Dearborn, Shinn, Scupin, Cramaussel, P. Guillaume. Les uns, comme Preyer, ont publié l'ensemble de leurs observations, sinon sous forme de journal continu, du moins en ne les classant que sous des rubriques très générales. D'autres, comme W. Stern, en ont tiré des monographies concernant des questions particulières. Certains aussi semblent avoir limité leurs observations aux données de certains problèmes, mais en assistant toutefois à l'existence totale de l'enfant. Ces travaux restent la source la plus précieuse pour l'étude du premier âge.

A partir de 4 ans, ils font complètement défaut. Les observations recueillies n'étant plus que fragmentaires, il s'agit de constituer les ensembles d'où elles puissent recevoir leur signification. Ainsi se sont élaborées des méthodes qui procèdent de l'observation pure, mais qui doivent la dépasser, et qui se trouvent prolonger l'expérimentation, dont le but essentiel, comme d'ailleurs de toute connaissance, est de mettre en évidence une relation déterminée. L'expérimentateur reconstruit cette relation ou la soumet à des variations qui permettent d'isoler du reste les termes qu'elle unit. Quand toute action sur elle est interdite, il ne reste plus qu'à tenter de constater ses variations spontanées ou accidentelles. Mais pour les reconnaître il faut pouvoir les comparer à une norme, les ramener à un système déterminé de références. La norme peut, entre autres, consister à confronter les déviations pathologiques avec l'état normal. Le système de références peut être donné par des statistiques résultant de comparaisons étendues. De toutes façons, une observation ne peut être identifiée comme telle que si elle trouve à s'encadrer dans un ensemble d'où elle reçoive son sens et jusqu'à sa formule. Nécessité si fondamentale qu'elle oblige à revenir sur l'observation dite pure et à examiner par quel mécanisme et sous quelles conditions elle peut devenir un moyen de connaissance.

***

A proprement parler, il n'y a pas d'observation qui soit un décalque exact et complet de la réalité. A supposer, d'ailleurs, qu'il en fût de telles, le travail d'observation serait encore tout entier à entreprendre. Bien que déjà, par exemple, l'enregistrement cinématographique d'une scène réponde à un choix souvent très poussé : choix de la scène elle-même, du moment, du point de vue, etc., c'est seulement sur le film, dont le mérite est de rendre permanente une suite de détails qui auraient échappé au spectateur le plus attentif et sur lesquels il lui devient loisible de revenir à volonté, que va pouvoir commencer le travail direct d'observation. Il n'y a pas d'observation sans choix ni sans une relation, implicite ou non. Le choix est commandé par les rapports qui peuvent exister entre l'objet ou l'événement et notre attente, en d'autres termes notre désir, notre hypothèse ou même nos simples habitudes mentales. Ses raisons peuvent être conscientes ou intentionnelles, mais elles peuvent aussi nous échapper, car elles se confondent avant toutes choses avec notre pouvoir de formulation mentale. Ne peuvent être choisies que les circonstances à soi-même exprimables. Et, pour les exprimer, il nous faut les ramener à quelque chose qui nous soit familier ou intelligible, à la table de références dont nous nous servons soit à dessein, soit sans le savoir.

La grande difficulté de l'observation pure comme instrument de connaissance, c'est que nous usons d'une table de référence sans le plus souvent le savoir, tant son emploi est irraisonné, instinctif, indispensable. Quand nous expérimentons, le dispositif même de l'expérience opère la transposition du fait dans le système qui permettra de l'interpréter. S'il s'agit d'observation, la formule que nous donnons aux faits répond souvent à nos rapports les plus subjectifs avec la réalité, aux notions pratiques dont nous usons pour nous-mêmes dans notre vie courante. C'est ainsi qu'il est très difficile d'observer l'enfant sans lui prêter quelque chose de nos sentiments ou de nos intentions. Un mouvement n'est pas un mouvement, mais ce qu'il nous semble exprimer. Et, à moins d'une grande habitude, c'est la signification supposée que nous enregistrons, en omettant plus ou moins d'indiquer le geste lui-même.

Tout effort de connaissance et d'interprétation scientifique a toujours consisté à remplacer ce qui est référence instinctive ou égocentrique par une autre table dont les termes soient objectivement définis. Il est d'ailleurs bien souvent arrivé qu'empruntées à des systèmes antérieurement constitués de connaissance, ces tables se soient révélées insuffisantes pour l'ordre nouveau des faits à l'étude : ainsi, en psychologie, des références tirées de l'anatomie, toute manifestation mentale étant supposée due à l'activité d'un certain organe ou d'un certain élément d'organe. Il importe donc au premier chef de bien définir pour tout objet d'observation quelle est la table de référence qui répond au but de la recherche.

Pour qui étudie l'enfant, c'est incontestablement la chronologie de son développement. Tous les observateurs ont pris soin de noter, pour chacun des faits qu'ils enregistrent, l'âge de l'enfant en mois et en jours, comme s'ils postulaient que l'ordre dans lequel apparaissent les manifestations successives de son activité a une sorte de valeur explicative. Et l'expérience a, en effet, vérifié qu'il est le même d'un enfant à l'autre. Les interversions qu'il arrive de constater ne dépasseraient pas, selon Mme Shirley qui a suivi minutieusement le développement de vingt-cinq petits enfants, 12 p. 100 des cas et surtout elles n'intéressent jamais que deux acquisitions immédiatement consécutives. C'est plus tard seulement que peuvent s'observer, entre activités fortement différenciées, des cas de précocité ou de retard partiels.

La différence des réactions suivant l'âge a été mise en évidence de façon saisissante par Gesell au moyen du cinéma. Le même test étant proposé à l'enfant de semaine en semaine ou de mois en mois, par exemple la présentation du même objet à la même distance, la juxtaposition de ses comportements successifs montre quelles transformations rapides et souvent radicales le temps leur fait subir. Pourtant plusieurs observateurs ont constaté dans cette action du temps qu'implique la notion même de développement ou d'évolution, liée elle-même au rôle que joue l'enfance dans la vie, des exceptions tout au moins apparentes, dont l'examen doit permettre de mieux saisir les conditions et la signification des progrès en train de se réaliser. Tantôt surgit une réaction nouvelle, qui reste sans lendemain et ne reparaît avec suite que plusieurs semaines plus tard, et tantôt une acquisition déjà ancienne semble s'abolir au moment où l'activité de l'enfant s'engage dans un nouveau domaine. Entre le cours du temps et celui du développement psychique se manifesteraient donc des discordances.

En présence du premier cas, certains observateurs, comme Preyer, ont commencé par se demander si leur description n'avait pas été d'abord déformée par une interprétation qui anticipait sur l'événement. Mais l'expérience a montré que l'anticipation est souvent dans les faits eux-mêmes. Toute réaction, explique Koffka, est un ensemble dont l'unité peut grouper des parties ou des conditions plus ou moins diverses et interchangeables. Ces conditions sont, en proportion variable, des circonstances externes et des dispositions internes. Plus est grand le nombre des circonstances externes et plus leur réalisation simultanée risque d'être accidentelle. Plus augmente, au contraire, celui des dispositions intimes, et plus leur concours tend à devenir un tout lié, qui va se trouver à la disposition constante du sujet. C'est bien dans ce sens que vont les progrès de l'organisation à travers les espèces animales. Leur comportement, tout au moins dans sa forme, dépend toujours davantage de déterminants internes et cesse, en proportion, d'être commandé immédiatement par les influences du milieu externe. Les progrès d'organisation qui répondent à la période de l'enfance ont nécessairement pour effet de ramener les structures ancestrales qui assurent à l'individu la pleine possession des moyens d'action propres à l'espèce. C'est d'ailleurs un procès que prolonge l'activité de chacun : tout apprentissage, toute acquisition d'habitude tend à réduire l'influence des situations externes à celle de simples signes, l'acte consécutif s'exécutant comme de lui-même par la mise en jeu de structures intimes, qui sont l'effet de l'apprentissage.

A cette explication il faudrait ajouter que l'anticipation fonctionnelle n'est pas un simple accident, même fréquent, mais qu'elle paraît être la règle. Il est constant que des réactions nouvelles subissent une longue éclipse après s'être manifestées soit une, soit même plusieurs fois pendant une courte période. Il ne paraît donc pas suffisant d'imputer le fait au seul concours favorable de circonstances externes. Il est plus vraisemblable qu'en bien des cas la première apparition d'un geste ou d'un acte résulte de facteurs surtout internes. Leur diversité est en effet plus grande que nous ne supposons souvent. Les mécanismes d'exécution n'en sont qu'une partie. Ce qui les met en branle résulte de disponibilités ou d'orientations énergétiques qui elles aussi ont leurs périodes. Interviennent, en plus, des intérêts de nature très diverse. Par exemple la nouveauté de l'impression que fait éprouver un geste exécuté pour la première fois peut être suffisante pour mobiliser quelque temps, en vue de sa répétition, une somme d'énergie qui ne pourra plus se retrouver quand cet attrait sera devenu moindre. Elle disparaîtra donc provisoirement. Le manque de cohésion entre les facteurs intimes d'une réaction rend compte de l'irrégularité qu'elle présente pour commencer, même en présence de l'excitation appropriée. Il faut aussi considérer que le seuil d'une réaction à ses débuts est élevé et qu'elle exige pour se produire une stimulation plus énergique ou une quantité d'énergie plus considérable qu'au stade où il se trouvera abaissé par la maturation fonctionnelle ou par l'apprentissage.

La mise en défaut d'une acquisition déjà ancienne est un fait d'une fréquence suffisante pour avoir été signalée par plusieurs auteurs. L'explication qu'en donnent W. Stern, puis Piaget est à peu près semblable. La même opération mentale présente différents niveaux entre lesquels le passage se fait toujours dans le même ordre au cours de l'évolution psychique. Les conditions où elle doit se produire peuvent lui opposer des degrés de difficulté très variables. Si la difficulté augmente, l'opération risque de se faire à un niveau plus bas. Ainsi chez le même individu, au même âge, la même opération est susceptible de s'exécuter à des niveaux variables. Un exemple donné par W. Stern, c'est l'épreuve qui consiste à décrire une image, soit en la regardant, soit après l'avoir regardée. Dans la forme des deux descriptions peut s'observer, suivant l'âge de l'enfant, un décalage d'un ou deux échelons. L'exemple de Piaget concerne des notions, comme celle de causalité, dont il arrive que l'enfant sache faire un usage objectif dans la pratique quotidienne de sa vie, alors que dans ses explications, c'est-à-dire sur le « plan verbal », il régresse vers des types de causalité beaucoup plus subjectifs, causalité volontariste ou affective.

L'activité mentale ne se développe pas sur un seul et même plan par une sorte d'accroissement continu. Elle évolue de système en système. Leur structure étant différente, il s'ensuit qu'il n'y a pas de résultat qui puisse se transmettre tel quel de l'un à l'autre. Un résultat qui reparaît en liaison avec un nouveau mode d'activité n'existe plus de la même façon. Ce n'est pas la matérialité d'un geste qui importe, c'est le système auquel il appartient dans l'instant où il se manifeste. Le même phénomène peut être chez l'enfant qui gazouille le simple effet de ses exercices sensori-moteurs et, plus tard, la syllabe d'un mot qu'il s'efforce de prononcer correctement. Entre les deux s'intercale une période d'apprentissage. La nécessité de réapprendre, quand il devient un élément du langage, le son qui était devenu familier dans la période sensori-motrice se fait bien sentir à quiconque s'essaie à parler une langue étrangère, dont les phonèmes ne sont pas tous de ceux qu'il a eu l'occasion de fixer en apprenant sa propre langue maternelle. La difficulté d'articulation peut même ne jamais être complètement surmontée, si le réapprentissage se fait à un âge trop tardif.

Inversement, sous les apparences du même mot, l'acte mental peut appartenir à deux niveaux différents d'activité. C'est ce qui explique que certains aphasiques soient en même temps capables et incapables d'utiliser un même vocable selon qu'il appartient à une exclamation affective ou qu'il doit entrer dans l'énonciation objective d'un fait. Le langage d'un adulte normal comporte une superposition de plans entre lesquels le passage ne cesse de se faire à son insu. La maladie peut en abolir certains, et l'enfant ne se hausse de l'un à l'autre que successivement. Mais le langage n'est qu'un exemple de la loi qui règle l'acquisition de toutes nos activités. Les plus élémentaires s'intègrent, tantôt modifiées et tantôt sous le même aspect, à d'autres au travers desquelles s'accroissent par degrés nos moyens objectifs de relation avec le milieu. L'observateur doit donc bien se garder d'attribuer aux gestes de l'enfant la pleine signification qu'ils pourraient avoir chez l'adulte. Quelle que soit leur apparente identité, il ne doit leur reconnaître d'autre valeur que celle dont le comportement actuel du sujet peut donner la justification. Celui de l'enfant est, à chaque âge, d'un type qui répond aux limites de ses aptitudes, et celui de l'adulte lui-même est à chaque moment entouré d'un cortège de circonstances qui permettent de repérer à quel niveau de la vie mentale il se déploie. Être attentif à cette diversité de signification est une des principales difficultés, mais une condition essentielle de l'observation scientifique.

Si la méthode d'observation ne peut pas ne pas tenir compte des variations à retrouver dans l'effet quand les conditions changent, l'étude des cas pathologiques donne l'occasion de discerner certaines de ces variations rendues plus apparentes par la maladie, et elle peut suppléer ainsi, dans une certaine mesure, à l'expérimentation, quand il est impossible d'y recourir pour les mettre artificiellement en évidence.

Les rapports entre la pathologie et l'expérimentation se sont imposés à l'attention des psychologues français, dont ils ont longtemps inspiré la plupart des travaux, sous l'influence de Cl. Bernard, qui définissait la physiologie comme une « médecine expérimentale », entendant par là que le physiologue devait s'attacher à reproduire les effets de la maladie par la reproduction dans un organisme sain de sa cause supposée. Moyen direct de vérifier la justesse de ses hypothèses. Cette pratique postulait, d'une part, que l'état de santé et l'état de maladie sont soumis aux mêmes lois biologiques et qu'il n'y a de changé que certaines conditions de l'expérience, celles-là précisément dont il s'agit de déterminer l'effet. Elle exigeait, d'autre part, pour des raisons d'humanité, que la vérification pût se poursuivre sur des organismes autres que celui de l'homme. Ribot et ses élèves ont adopté le postulat, mais n'ont pu réaliser le transfert de l'expérience, puisque les faits à étudier n'appartiennent pour la plupart qu'à la psychologie de l'homme. A l'inverse de Cl. Bernard qui opérait dans l'expérimental, ils ont opéré dans le pathologique. Par là même ils perdaient le bénéfice de la vérification expéditive qu'avait cherchée Cl. Bernard, et ils revenaient à la nécessité d'instituer, suivant les rencontres de la clinique, de minutieuses et parfois incertaines comparaisons entre des cas approximativement semblables.

Cet inconvénient ne leur a peut-être pas été tout de suite aussi évident qu'il l'est pour nous. Car c'est l'époque où prospéraient les expériences sur l'hystérie, qui ont effectivement tenu une grande place dans les travaux des premiers psychopathologistes. Les effets de jour en jour surprenants qui lui étaient attribués donnaient l'illusion qu'en les provoquant il devenait possible de remonter à leur cause et d'explorer ainsi tout le mécanisme de la vie psychique. Vérification trop facile des hypothèses les plus arbitraires, puisqu'ils étaient un résultat direct ou de la suggestion ou de la simulation. A l'opposé de l'hystérie, la doctrine organiciste entretenait une illusion pourtant assez semblable. En identifiant chaque manifestation psychique avec le jeu d'un certain organe, elle postulait elle aussi la possibilité d'analyser la vie psychique effet par effet, fonction par fonction. Conception reconnue depuis inadéquate aux faits. Les conséquences d'une lésion ne se résolvent pas dans une simple soustraction fonctionnelle. Elles traduisent une réaction conforme aux possibilités laissées intactes ou libérées par la lésion. Elles sont le comportement compatible avec les changements de la situation interne.

De même, les progrès de l'enfant ne sont pas une simple addition de fonctions. Le comportement de chaque âge est un système où chacune des activités déjà possibles concourt avec toutes les autres, en recevant de l'ensemble son rôle. L'intérêt de la psychopathologie, dans l'étude de l'enfant, est de mettre mieux en évidence les différents types de comportement. Car le rythme d'une évolution mentale est, dans la prime enfance, si précipité qu'il leur arrive d'être difficilement identifiables à l'état pur, leurs manifestations chevauchant de l'un sur l'autre. Au contraire, un trouble de croissance non seulement ralentit l'évolution, mais il peut aussi en arrêter le cours à un certain niveau. Alors toutes les réactions viennent s'aligner sur un type unique de comportement, dont elles réalisent au complet les possibilités, parfois même avec une sorte de perfection qui ne peut être atteinte quand elles se trouvent graduellement incorporées à des réactions d'un niveau plus élevé. J'ai toujours constaté qu'une trop grande virtuosité partielle est d'un mauvais pronostic pour le développement ultérieur de l'enfant : car c'est l'indice d'une fonction qui tourne indéfiniment sur elle-même, faute d'un système plus complexe d'activité qui vienne l'utiliser à d'autres fins et se l'intégrer [1].

En même temps que chaque stade d'une évolution tronquée peut ainsi se rencontrer dépouillé de tous les traits qui lui sont

1. H. W., *L'Enfant turbulent*.

étrangers, le contraste entre la cohésion intime du comportement et son incohérence pratique devient frappant. Si ce comportement n'est pas toujours sans rapport avec des circonstances extérieures, il ne répond que mal ou pas du tout aux exigences du milieu. Son absurdité va permettre de mieux saisir quelles sortes de progrès seraient indispensables pour permettre une vie normale. Le régime de vie est commandé par des conditions que le milieu social peut transformer. La relation entre ces conditions et le développement psychique est un de ses facteurs essentiels. Il est donc nécessaire de comparer les aptitudes successives ou personnelles de l'enfant avec les objets et les obstacles qu'elles doivent ou qu'elles peuvent rencontrer, puis d'enregistrer comment l'adaptation s'est faite. Decroly recommandait d'envisager, pour tout enfant anormal, quel régime de vie lui était et pouvait lui devenir accessible. Le même problème se pose pour mieux connaître et mieux diriger l'enfant normal.

Un autre moyen de comparaison, dont le but est à peu près semblable, c'est celui qui utilise la statistique. Au lieu de mettre directement en regard l'individu et ses conditions d'existence, on le compare au groupe de ceux qui sont dans les mêmes conditions que lui. La comparaison porte évidemment sur un trait bien déterminé. Il s'agit de noter les variations de ce trait à travers l'ensemble du groupe et de classer chaque individu par rapport au groupe entier. Dans un groupe qui réunit des individus de même âge, le classement de chacun parmi les autres indiquera si, relativement au trait considéré, il est en retard, en avance sur ceux de son âge ou dans la moyenne. Mais le principe du groupement peut être différent : nationalité, milieu social, conditions de vie plus ou moins particulières. Et c'est ainsi que la comparaison du même trait dans des groupements divers et dans différents types de groupements va permettre de reconnaître quels sont les facteurs qui influent sur son apparition, sa disparition, ses variations éventuelles.

La méthode peut donc donner lieu à deux sortes de comparaisons : celle de chaque individu à une norme qui est donnée par l'ensemble des résultats obtenus sur les gens de même catégorie que lui ; celle des conditions relatives à chaque catégorie avec l'effet étudié. Le terme de référence n'étant plus une observation ou une expérience individuelle, mais une pluralité de cas individuels, il faut pouvoir éliminer de cette pluralité ce qui risque d'en fausser le juste équilibre. Cette garantie ne peut être obtenue qu'en respectant des conditions que le calcul des probabilités a permis de déterminer. C'est par lui que sont réglés l'établissement des normes et le maniement des comparaisons propres à cette méthode [1].

Le trait étudié peut être un effet naturel, comme la taille de l'enfant. Mais il arrive aussi qu'il soit nécessaire, comme lorsqu'il s'agit d'une aptitude, de le mettre en évidence par une épreuve ou *test*. L'aptitude sera définie par le test, mais uniquement parce qu'au préalable le test lui-même aura été calqué sur l'aptitude. Et la garantie de cette exacte correspondance est précisément donnée par le calcul des probabilités. Le taux des réussites obtenues avec des individus dont il est pratiquement connu qu'ils présentent cette aptitude doit l'emporter d'une quantité suffisante sur ce que donnent des individus quelconques. S'il s'agit de connaître le développement d'une aptitude suivant l'âge, la comparaison portera sur le nombre des réussites à deux âges consécutifs.

Le test est de l'observation provoquée et, en cette qualité, c'est une expérience. Ce qui le distingue pourtant d'une expérience proprement dite, c'est qu'entre les deux il y a divergence de référence et de technique. L'expérience vaut par sa structure, par l'exacte relation de ses parties ; son résultat dépend des conditions réalisées ; elle consiste dans une combinaison adéquate de circonstances ; ses références sont dans une situation définie et qui peut être plus ou moins complexe. Le test, au contraire, est un indice dont la signification est fondée sur sa fréquence relative à travers des groupes définis. C'est

1. Voir Borel et Deltheil, *Probabilités, Erreurs* (Collection Armand Colin, n° 34) ; — H. Wallon, *Principes de Psychologie appliquée*, 2e partie (Collection Armand Colin).

en eux qu'est la structure, et non en lui. S'il en avait une, tant soit peu composée d'éléments hétérogènes, les comparaisons dont il est l'instrument deviendraient ambiguës et les manipulations statistiques pourraient déceler dans ses résultats des anomalies. Il doit donc, en principe, être aussi épuré que possible. Ses références sont en dehors de lui : dans l'ensemble des cas sur lesquels il est essayé.

Assurément la méthode statistique et la méthode expérimentale peuvent plus ou moins interférer à titre de contrôle mutuel. Mais les objections qui ont été adressées à l'une ou à l'autre viennent souvent de ce qu'elles n'ont pas été suffisamment distinguées. Il existe en psychologie des épreuves qui ne sont pas des tests et dont les résultats sont des plus utiles ; ce sont des expériences plus ou moins complexes dont la preuve est en elle-mêmes. Il serait absurde de leur opposer qu'elles ne peuvent pas se justifier par la même sorte de garanties que les tests. Inversement, il est injustifié de reprocher aux tests leur abstraite simplicité.

***

L'étude de l'enfant, c'est essentiellement celle des phases qui vont faire de lui un adulte.

Dans quelle mesure les tests peuvent-ils y contribuer ; dans quelle mesure ne pas suffire ? A supposer qu'ils soient en nombre suffisant pour répondre à toutes les aptitudes, ils permettraient de faire leur inventaire pour chaque sujet et pour chaque âge, avec indication de leur niveau respectif. Juxtaposés, ils donneront ce qu'on appelle un « profil psychologique », graphique d'une incontestable utilité, mais simple assemblage de résultats, dont il est d'ailleurs douteux qu'ils épuisent toutes les possibilités du sujet. Il n'y a donc pas là l'expression véritable d'une structure mentale.

Entre les tests, cependant, il est possible de rechercher s'il y a ou non corrélation, en calculant selon quelle fréquence leurs résultats concordent. A condition de ne pas être causée par une commune dépendance à l'égard de circonstances étrangères, une concordance dont le taux dépasse les probabilités du simple hasard peut être l'indice d'une liaison fonctionnelle entre les deux aptitudes mises en corrélation. Elle répondra donc à un élément de structure. Mais enchaîner ces éléments en calculant de proche en proche des corrélations, ce n'est pas recomposer la structure, et les résultats d'ensemble deviennent vite très confus. La cohésion de chaque élément varie d'ailleurs avec la valeur numérique de la corrélation, et sa signification intrinsèque reste indéterminée. La recherche des corrélations est donc une méthode d'analyse et de vérification, mais non de reconstruction.

Enfin l'existence d'un ensemble ne se confond pas avec les affinités mutuelles de ses parties. Ce qui fait concourir au comportement d'un âge donné les différentes activités qui le constituent, ce n'est pas nécessairement qu'elles se conditionnent entre elles. Les causes d'une évolution dépassent l'instant présent. Chacune de ses étapes ne peut donc pas former un système clos dont toutes les manifestations dépendraient strictement les uns des autres.

Les stades dont la psychopathologie permet l'étude sont bien des ensembles, et même épurés de tout élément hétérogène. Il est ainsi plus facile d'en définir les traits essentiels. Mais ils ne sont saisissables que sous leur aspect statique. Morceaux d'une évolution tronquée, ils cessent vite de répondre aux besoins des âges succcessifs que parcourt l'individu. Ils n'ont plus qu'une existence mécanique, des effets stéréotypés et absurdes. Leur signification psychobiologique disparaît.

C'est essentiellement à leur succession chronologique qu'il faut rapporter les étapes du développement. Les lois et les facteurs dont elles dépendent seront étudiés plus loin. Mais quel est leur mode de succession ? Pour certains auteurs, le passage de l'une à l'autre se ferait par transitions insensibles. Chacune d'entre elles serait déjà dans la précédente, contiendrait déjà la suivante. Elles seraient plus un sectionnement commode pour le psychologue qu'une réalité psychologique. Et sans doute cette continuité est-elle, en effet, tout ce que peut en saisir celui qui s'attache exclusivement à la description des manifestations ou aptitudes successives qui se font jour dans le comportement de l'enfant. Le développement de chacune peut s'inscrire sous forme d'une courbe continue, depuis les essais rares et imparfaits du début jusqu'à leur emploi selon les besoins et les circonstances, en passant par la période où l'effet est cherché insatiablement pour lui-même au cours d'une agitation ludique. Les formes nouvelles d'activité dont son propre achèvement rend l'apparition possible peuvent être considérées comme sa conséquence en quelque sorte mécanique et nécessaire. En même temps elle s'est entremêlée à d'autres activités, synchrones ou non, qui forment avec elle une sorte de feutrage dans lequel se perdent les distinctions d'étapes.

Pour qui, au contraire, ne sépare pas arbitrairement le comportement et les conditions d'existence propres à chaque époque du développement, chaque phase est, entre les moyens de l'enfant et le milieu, un système de relations qui les fait se spécifier réciproquement. Le milieu ne peut pas être le même à tous les âges. Il est fait de tout ce qui donne prise aux procédés dont dispose l'enfant pour obtenir la satisfaction de ses besoins. Mais il est par là même l'ensemble des stimulants sur lesquels s'exerce et se règle son activité. Chaque étape est à la fois un moment de l'évolution mentale et un type de comportement.

CHAPITRE 3

LES FACTEURS DU DÉVELOPPEMENT PSYCHIQUE

Le développement psychique de l'enfant présente des oppositions comme il s'en observe dans tout devenir, mais qui doivent ici à son ampleur et à la diversité de ses conditions de poser des problèmes importants. Parti, avec le nourrisson, d'un stade à peine supérieur à celui du parasitisme, il tend vers un niveau au regard duquel le comportement des autres espèces animales est à peine un commencement, car les motifs qui peuvent surgir des circonstances naturelles sont, chez l'homme, submergés par ceux qui procèdent d'une société aux formes complexes et instables. L'influence qu'elle est susceptible d'exercer présuppose dans l'individu un équipement d'aptitudes extrêmement différenciées, dont la formation relève de l'espèce. Ainsi chez l'enfant s'affrontent et s'impliquent mutuellement des facteurs d'origine biologique et sociale.

En même temps qu'à chaque étape se réalise entre des possibilités actuelles et les conditions de vie correspondantes un équilibre stable, des changements tendent à s'opérer, dont la cause est étrangère à cet exact rapport fonctionnel. Cette cause est organique. Dans le développement de l'individu, la fonction s'éveille avec la croissance de l'organe, et l'organe la précède souvent de loin. Dès la naissance, les cellules nerveuses sont aussi nombreuses qu'elles seront jamais et, s'il s'en détruit au cours de la vie, elles ne sont pas remplacées. Mais pendant combien de semaines, de mois et d'années beaucoup d'entre elles ne vont-elles pas rester en sommeil ? Tant que ne sera pas réalisée la condition organique de leur fonctionnement : la myélinisation de leur axone. Beaucoup d'autres organes doivent de même achever leur différenciation structurale avant de révéler leur fonction, dont les premières manifestations ne sont souvent qu'une sorte d'exercice libre et sans autre motif que lui-même.

La raison de leur croissance n'est donc pas dans le présent, mais dans le type de l'espèce, qu'il appartient à l'adulte de réaliser. Elle est à la fois dans l'avenir et dans le passé. Chaque âge de l'enfant est comme un chantier dont certains organes assurent l'activité présente, tandis que des masses imposantes s'édifient, qui n'auront leur raison d'être qu'aux âges ultérieurs. Le but ainsi poursuivi n'est que l'accomplissement de ce que le *génotype*, ou germe de l'individu, tenait en puissance. Le plan suivant lequel chaque être se développe dépend donc de dispositions qu'il tient de sa toute première formation. La réalisation en est nécessairement successive, elle peut ne pas être totale, et enfin les circonstances la modifient plus ou moins. Aussi a-t-on distingué du génotype le *phénotype*, qui consiste dans les aspects sous lesquels l'individu s'est manifesté au cours de sa vie. L'histoire d'un être est dominée par son génotype et constituée par son phénotype.

Entre les deux il existe une certaine marge de variation. Mais il est difficile d'en marquer l'étendue, puisque seul le phénotype est directement accessible à l'observation. Quant au contenu du génotype, il faudrait le déduire d'une comparaison entre géniteurs et descendants, en lui attribuant ceux de leurs traits communs qui ne peuvent être expliqués par l'influence du milieu ou des événements. La comparaison entre des groupes de jumeaux homo- et hétérozygotes a pu permettre à différents observateurs d'imputer au génotype les aptitudes qui sont semblables chez les premiers et différentes chez les seconds. Sans doute, dans les conditions habituelles, l'extrême diversité de vie que présentent nos sociétés rend-elle la comparaison des plus complexes, mais la discrimination entre ce qui reste constant et ce qu'il appartient à des circonstances multiples de faire varier pourrait aussi en être rendue plus nette.

Il faut cependant savoir distinguer entre les influences. Certaines sont très tenaces, d'autres ont une aire très étendue. Leurs effets pourraient donc en imposer pour les traits durables et essentiels d'une race ou pour ceux de groupements foncièrement homogènes, si la comparaison n'était pas suffisamment extensive dans le temps et dans l'espace, ou si elle ne mettait pas à profit les cas de variation accidentelle pour faire un examen rigoureusement différentiel de leurs conditions. Dans d'autres domaines, la transformation des circonstances est beaucoup plus rapide, beaucoup plus multiple. Entre générations ou entre groupes relativement proches, parfois même entre individus, les variations peuvent être sensibles. Il faut savoir en tenir compte pour ne pas conclure sans juste motif à des supériorités ou à des infériorités fondamentales.

Le génotype peut être regardé comme l'intermédiaire, quelque peu variable d'ailleurs suivant les lignées et les croisements, entre l'espèce et l'individu. En lui serait inscrite l'histoire de l'espèce, dont l'histoire de l'individu ne ferait que reproduire les traits essentiels. Telle est du moins la théorie de ceux pour qui l'ontogenèse est une répétition de la phylogenèse. Elle est née des similitudes morphologiques que présenteraient les étapes de la vie embryonnaire avec les formes animales dont la succession jalonne la route suivie par l'évolution des espèces. Certains psychologues ont cru pouvoir l'appliquer au développement de l'individu dans ses rapports avec l'évolution des civilisations humaines, en expliquant ainsi les ressemblances qui s'observeraient, aux âges successifs de l'enfant, entre les formes de son comportement et la suite des pratiques ou des croyances par lesquelles sont passées les sociétés humaines.

Seraient une réminiscence des âges disparus tels jeux guerriers de l'enfant, par exemple son invention ou plutôt sa réinvention de l'arc et des flèches. Et aussi ce qu'on a appelé sa mentalité magique, c'est-à-dire sa croyance au pouvoir de la volonté sur les choses et les événements, soit directement, soit plutôt par l'intermédiaire de simulacres ou de formules. A cette reviviscence de pensées ancestrales, Freud a fait une grande place dans sa psychanalyse. Les jeux imaginatifs, les contes auxquels se complaît l'enfant, les rêves de l'adulte, certaines de ses créations esthétiques seraient un retour à la forme mythique sous laquelle s'exprimaient les plus anciennes civilisations, et qu'utiliseraient aujourd'hui les désirs réprouvés par la nôtre pour se manifester tout en se dissimulant. Des situations qui appartenaient aux premiers âges de l'humanité et que la morale des peuples n'a cessé de combattre pourraient ainsi se survivre en chaque individu.

Sur son terrain d'origine, celui de l'embryogenèse, l'assimilation de l'onto- et de la phylogenèse a suscité des objections. Elle n'est pas d'ailleurs un argument nécessaire pour justifier le transformisme. Pourquoi les changements qu'entraîne le passage d'une espèce à une autre ne porteraient-ils pas aussi bien sur les étapes de la croissance que sur les caractères de l'animal adulte ? Comment la récapitulation du passé ne seraitelle pas en quelque sorte escamotée par la nécessité bien plus urgente de réaliser le type nouveau d'organisation ? Du moins le problème a-t-il ici des données précises : la comparaison de formes entre elles et l'ordre dans lequel elles se succèdent.

Sur le plan de la psychogenèse, au contraire, le parallélisme onto-phylogénétique non seulement est privé de critères objectifs, mais il comporte d'insurmontables invraisemblances. Si les étapes de la vie mentale chez l'enfant avaient pour prototype et pour condition les étapes de la civilisation humaine, le lien entre les termes qui se répondent dans les deux séries ne pourrait être qu'une structure matérielle dont le rang dans le développement et de l'individu et de l'espèce serait strictement déterminé. Entre des individus appartenant à des niveaux différents de civilisation, l'intervalle serait égal au nombre de générations nécessaires pour que se succèdent la série des structures intermédiaires, c'est-à-dire qu'il serait infranchissable, non seulement pour eux-mêmes, mais pour une portion plus ou moins étendue de leur postérité. Or l'expérience a montré que, si le désaccord peut être irréductible entre deux adultes déjà formés, sur des enfants suffisamment jeunes, au contraire, le milieu où ils sont élevés greffe la civilisation correspondante.

A la différence des formes embryogéniques, qui sont objet d'observation, l'existence de structures qui répondraient aux systèmes idéologiques est, d'ailleurs, indémontrable. Bien plus, elle est insoutenable. Toutes les constatations de la psychologie contemporaine prouvent que le fonctionnement de l'activité mentale deviendrait inconcevable s'il fallait décomposer ses opérations en éléments dont chacun aurait pour siège et pour organe un élément ou une combinaison d'éléments organiques. De ce fait, le langage fournit un exemple qui a été particulièrement étudié. Incontestablement, il n'est possible que par l'existence de centres spécialisés — et d'ailleurs très étendus en profondeur, c'est-à-dire impliquant des activités de niveau très différent — qui ont fait leur apparition dans l'espèce humaine. Mais il n'est en aucune façon préformé dans ces centres. C'est du milieu que dépend le système linguistique dont l'enfant acquiert l'usage. Ce système peut d'ailleurs ne pas être unique, et quand il s'en développe plusieurs chez le même individu, leurs rapports peuvent être psychologiquement très différents : équivalence exacte, ou référence de tous à l'un d'entre eux, qui seul est alors en liaison immédiate avec les intentions et la pensée. Enfin des formules toutes semblables peuvent servir d'expression à des activités psychiques de niveau très divers, suivant les circonstances, suivant les dispositions ou les possibilités mentales du sujet, et aussi suivant l'âge de l'enfant.

Il n'y a pas de réaction mentale qui soit indépendante,

sinon toujours dans le présent du moins par ses moyens et par son contenu, des circonstances extérieures, d'une situation, du milieu. Et voilà encore qui s'opposerait à une exacte assimilation du développement psychique avec le développement embryonnaire qui, lui au contraire, se poursuit à huis clos sous l'influence exclusive de facteurs organiques. La similitude qui peut se constater entre certaines attitudes ou opérations mentales des enfants et de ceux qu'on a appelés en gros des primitifs paraît explicable par une similitude, toute relative d'ailleurs, de situation. Le milieu pourvoit notre activité d'instruments et de techniques, qui sont si intimement unis aux pratiques et aux nécessités de notre vie quotidienne que nous ne nous doutons souvent même pas de leur existence. Mais l'enfant n'apprend à en disposer que progressivement. Il est donc à chacun de ses âges successifs dans la situation de ceux pour qui ces techniques n'existeraient pas encore, comme c'est le cas, à des degrés divers, des prétendus primitifs.

Les moins importantes de ces techniques ne sont pas les techniques intellectuelles, qui investissent l'enfant d'abord et surtout par l'intermédiaire du langage, mais seulement dans la mesure de l'emploi qu'il sait en faire. Cet apprentissage ne se termine pas avant les dernières années de l'enfance, et il peut être poussé à des niveaux très divers. Mais, entre les langages aussi, il y a des niveaux. Selon l'état des civilisations correspondantes, ils sont des instruments intellectuels plus ou moins élaborés. De cette élaboration, le travail des penseurs nous donne d'ailleurs un exemple explicite au cours de l'histoire. Pour les mots et pour les notions d'où dépend notre compréhension journalière du monde, que d'efforts de définition chez Descartes, chez Aristote, chez Platon. De l'un à l'autre, il nous semble remonter vers le moins compréhensible et, avec Platon parfois, jusqu'au seuil de l'incompréhensible : n'ouvre-t-il pas déjà quelques vues sur l'horizon très lointain de ce que Lévy-Bruhl appelle la mentalité prélogique ? Mais cette élaboration, qui est délibérée chez les philosophes de jadis et chez les savants d'aujourd'hui, s'opère aussi dans la conscience commune et dans le langage usuel, sous la pression des coutumes ou des objets qui appartiennent au régime de vie et aux techniques de l'époque.

Entre l'enfant et le primitif, la distinction est nette. L'un est en présence de techniques qu'il ne sait pas encore utiliser ; pour l'autre, elles font défaut. La comparaison de l'un à l'autre sans doute est utile, non pas qu'elle nous fasse retrouver chez l'enfant un stade du passé, mais parce qu'elle nous permet de démêler la part qui revient, dans l'exercice de la pensée, aux instruments et aux techniques de l'intelligence. Ainsi serons-nous gardés contre le risque de tenir un enfant de 12 ans pour plus intelligent que Platon ou du moins qu'un primitif éminent dans son clan, et de confondre le niveau de la logique avec la puissance de la pensée. Est-il besoin d'ajouter que, même réduit à ces termes, le rapprochement laisse subsister un immense intervalle entre l'enfant dont la pensée, dépourvue de cadres, subit les pulsions de la sensibilité et le primitif que mène le système tenace de ses habitudes mentales et de ses croyances.

Bien que le développement psychique de l'enfant suppose une sorte d'implication mutuelle entre facteurs internes et externes, il n'est pas impossible de distinguer leur part respective. C'est aux premiers qu'est imputable l'ordre rigoureux de ses phases, dont la croissance des organes est la condition fondamentale. Dans la différenciation qui fait sortir de l'œuf, où elles sont en puissance, mais invisibles, les structures du futur organisme, des corps de constitution chimique relativement simple semblent jouer un rôle décisif de stimulant et de régulateur. Ce sont les hormones, sécrétion des glandes endocrines. Douées chacune d'une spécificité rigoureuse, bien que souvent en rapport de dépendance réciproque, elles tiennent sous leur contrôle l'apparition et le développement de chaque sorte de tissus. L'enchaînement de leurs interventions répond avec la plus exacte précision aux besoins de la croissance, et, comme il s'ajoute à leur rôle morphogène une action également élective sur les fonctions physiologiques et psychiques, von Monakow y voyait comme un substrat matériel des instincts.

De fait, elles paraissent exercer une influence considérable sur les corrélations somato-psychiques. C'est, par exemple, la sécrétion des glandes *interstitielles* incluses dans les organes génitaux qui est à l'origine des changements physiques et psychiques connus sous le nom de puberté. A la prépondérance des unes ou des autres on impute volontiers ces différences de conformation physique et de tempérament psycho-physiologique, que beaucoup s'appliquent aujourd'hui à classer en types, afin de fonder sur eux l'étude du caractère et celle de diverses affections mentales. De telles recherches pourraient avoir un double intérêt chez l'enfant : identifier d'abord au cours de son développement les signes avant-coureurs, les particularités naissantes et peut-être en partie les causes du type qu'il réalisera plus tard ; et aussi se demander si les étapes de sa croissance, qui entraînent des variations considérables dans les proportions relatives de la tête, du tronc, des membres, de leurs parties et de leurs segments, n'apparenteraient pas successivement l'enfant à différents biotypes, auxquels répondrait la diversité de ses comportements successifs.

Entre la croissance des membres et leur activité propre, il existe en tous cas une relation. Mais elle peut être de sens opposé. Tantôt elle est positive, c'est-à-dire qu'augmentent simultanément les dimensions et l'habileté d'une région, par exemple de la racine ou de l'extrémité d'un membre. Et cela doit s'expliquer par une solidarité trophique entre les organes périphériques et centraux d'une même fonction : appareil articulaire et muscles d'une part, centres nerveux de l'autre. Tantôt au contraire une maladresse plus ou moins durable accompagne une augmentation rapide des dimensions. Un exemple bien connu est la mue de la voix au moment de la puberté : les sons deviennent bitonaux et discordants, parce que les automatismes acquis sont momentanément déroutés par les changements de l'organe. Dans le premier cas, il s'agissait d'une aptitude brute, élémentaire et comme en puissance ;

dans celui-ci, d'opérations complexes, déjà constituées en système, que met en défaut une transformation de leur instrument. L'opposition de ces deux effets s'explique par la différence de leur niveau fonctionnel.

Lorsqu'il s'agit d'activités plus spécifiquement psychiques et sans concomitants organiques visibles, le rapport des facteurs internes et externes a donné lieu à plus de discussions. L'explication spontanée consiste à ordonner entre eux les faits immédiatement saisissables, et l'ordre de leur succession devient causalité. Ce sont les réactions dont le nourrisson déjà est capable qui sont censées constituer le matériel d'où sortiront, par combinaisons et adaptations successives, les élaborations ultérieures de la vie mentale. Souvent d'ailleurs il arrive que ce matériel est plutôt calqué sur les besoins de l'explication que sur une exacte observation des faits. C'est ainsi qu'au temps où l'édifice psychique semblait de proche en proche réductible à des sensations, la question ne se posait même pas de leur différence, pourtant certaine, chez l'enfant et chez l'adulte. Maintenant qu'une représentation plus activiste de la vie mentale est devenue courante, des schèmes moteurs ont été substitués aux sensations, mais sont toujours utilisés comme des unités qui resteraient équivalentes à toutes les étapes de l'évolution psychique, alors qu'en réalité de progressives intégrations changent non seulement l'apparence externe et le mécanisme neurologique des manifestations motrices, mais aussi leurs connexions fonctionnelles et leur signification pragmatique.

Cette intégration est la condition, mais ne peut pas être la conséquence de l'évolution psychomotrice. Ici se pose le problème des rapports entre la maturation et l'apprentissage fonctionnels. Sans doute, imputer systématiquement à la maturation d'organes correspondants chaque progrès constaté ne serait qu'une forme modifiée des vieilles explications qui se contentaient de ramener chaque effet à une entité calquée sur lui. Mais contester *a priori*, comme a fait récemment Piaget dans son livre *La Naissance de l'intelligence chez l'enfant*, le surgissement dans l'évolution psychique d'activités nouvelles, dont la source nécessaire est l'éveil fonctionnel de structures organiques parvenues à maturité, l'amène à confondre une simple description, d'ailleurs riche, pénétrante et ingénieuse, avec les conditions profondes de la vie mentale.

Qui parle de maturation fonctionnelle doit incontestablement en démontrer l'existence. C'est à quoi se sont attachés déjà plusieurs auteurs. Les expériences ont été faites soit sur de jeunes animaux, soit sur des enfants. Les résultats sont semblables. Entre deux lots de sujets, dont les uns sont mis en état de s'exercer et les autres privés de cette possibilité, la différence de performance s'efface très rapidement dès que l'âge de la fonction est atteint et que cesse la différence des conditions externes. Le niveau fonctionnel atteint par les premiers au bout de plusieurs semaines l'est en quelques jours par les seconds, preuve que l'âge fait plus que l'exercice. A la place de groupes assez nombreux pour que la diversité des aptitudes individuelles ait des chances d'être compensée, Gesell a pu comparer deux jumeaux homozygotes, c'est-à-dire deux êtres dont la ressemblance est aussi complète qu'il est possible : l'un est exercé à monter un escalier dès l'âge de 46 semaines et l'autre seulement à 53 ; en deux semaines, le second a rattrapé son frère. Les actes étudiés ont toujours été, bien entendu, des actes naturels, tels que picorer, marcher, saisir, parler, dont l'acquisition est constante pour tout individu normal vivant dans un milieu normal. Des stimulants, des circonstances appropriés sont assurément nécessaires pour qu'ils se produisent, mais leur utilisation ne devient véritablement efficace qu'au moment où les conditions biologiques de la fonction arrivent à maturation.

Quand l'acquisition porte sur des activités plus artificielles, c'est-à-dire qui n'apparaissent pas au cours du développement à moins de circonstances particulières, des conditions fonctionnelles adéquates ne sont pas moins nécessaires, mais l'importance de l'apprentissage devient essentielle. C'est d'ailleurs une loi générale que les effets dont ni la forme, ni le degré, ni la chronologie ne peuvent être sensiblement modifiés par l'exercice sont des réactions primitives, des réactions qui appartiennent à l'équipement psycho-biologique de l'espèce et dont la maturation fonctionnelle est la condition dominante. Au contraire, ce que l'exercice peut développer ou diversifier relève d'activités combinées où se traduisent les dons individuels d'adaptation, d'initiative et d'invention.

***

Dans l'espèce humaine, l'adulte dispose d'activités à l'aide desquelles il peut esquiver les contraintes de l'ambiance immédiate. Aux circonstances extérieures il peut opposer un monde de motifs qu'il découvre en lui-même, à quelque source qu'ils aient été puisés et qui sont comme le régulateur interne de sa conduite. Il faut donc supposer au point de départ un équipement psycho-biologique beaucoup plus complexe que dans les autres espèces. Par contre, l'enfant reste beaucoup plus longtemps désarmé devant les nécessités les plus élémentaires de la vie, et les occasions d'apprentissage qu'il doit trouver dans le milieu externe prennent alors une importance décisive. Il y a ainsi relation inverse entre la richesse de l'équipement et l'achèvement de ses parties. Plus grand est le nombre des possibilités, plus grande leur indétermination. Plus grande aussi l'indétermination et plus grande la marge des progrès. Une fonction qui n'a pas à chercher sa formule ne sait pas non plus s'adapter à des circonstances diverses.

Le fait qu'à sa naissance un être soit impuissant à subsister par lui-même, faute d'une maturation suffisante de ses organes, a été assimilé à un cas de prématuration. Nul exemple n'est plus saisissant que celui du kangourou, dont le petit ne quitte l'utérus de sa mère que pour réintégrer sa poche ventrale, où il attendra de pouvoir enfin supporter les rudes contacts du monde extérieur. La prématuration est normale chez plusieurs espèces de mammifères. Sa précocité paraît augmenter en même temps que s'élève le niveau évolutif de l'espèce. Elle atteint de beaucoup son plus haut degré chez l'homme et s'accompagne d'un renversement dans l'ordre des moyens à sa portée, qui prépare l'orientation toute nouvelle de son existence.

Alors que le jeune animal, au prix parfois d'exemples et de provocations maternels, ajuste directement ses réactions aux situations du monde physique, l'enfant reste des mois et des années sans rien pouvoir satisfaire de ses désirs sinon par le moyen d'autrui. Leur seul instrument va donc être ce qui le met en rapport avec l'entourage, c'est-à-dire celles de ses propres réactions qui suscitent en autrui des conduites profitables pour lui et les réactions d'autrui qui annoncent ces conduites ou des conduites contraires. Dès les premières semaines et dès les premiers jours, des enchaînements se constituent, d'où surgiront les premières assises de ce qui servira aux relations interindividuelles. Les fonctions d'expression précèdent de loin celles de réalisation. Préludant au langage proprement dit, ce sont elles qui les premières mettent leur marque sur l'homme, animal essentiellement social.

deuxième partie

LES ACTIVITÉS DE L'ENFANT ET SON ÉVOLUTION MENTALE

CHAPITRE 4

L'ACTE ET « L'EFFET »

Parmi les traits psycho-physiologiques qui signalent chaque étape de son développement, il y a le genre d'activité à laquelle se livre l'enfant, et elle devient à son tour un facteur de son évolution mentale. Par quels moyens ? Ils sont divers et changent avec les systèmes de comportement qui entrent en jeu, avec les stimulants, les intérêts, les fonctions, les alternatives qui s'y font jour. Au type le plus général, le plus élémentaire répond ce qu'on peut classer dans les rapports entre *l'acte et son effet*.

Ce qui motive un acte peut être d'espèce ou de niveau variable. Le plus élémentaire n'aurait pas encore de motif psychique. Il n'aurait d'autre raison de se produire que le fait d'être l'activité des organes correspondants. Ce serait une de ces manifestations fonctionnelles pour elles-mêmes, sur la fréquence desquelles Mme Ch. Bühler a insisté dans le premier âge. Il est assurément difficile d'affirmer en toute rigueur qu'un acte ou même un simple mouvement n'ont pas de concomitant psychique. Aussi admet-on souvent que le geste fonctionnel se double d'un certain plaisir, celui qui serait lié à l'exercice de la fonction. Mais cette notion n'est pas si simple qu'il peut sembler d'abord. Il n'y a pas de plaisir sans une sorte de conscience, dont il serait, par suite, nécessaire de déterminer quels sont le degré et la nature.

Cependant, avant le geste poursuivi pour lui-même, il semble y avoir ceux qui appartiennent aux effets dynamogéniques de la souffrance ou du bien-être, dont l'alternance avec le sommeil constitue le comportement manifeste du nouveau-né. Ils ne sauraient d'ailleurs être dissociés des états affectifs qui leur répondent, comme le serait une expression de ce qu'elle exprime. Ils leur sont liés d'existence par une sorte de réciprocité immédiate et se confondent d'abord totalement avec eux. Mais ils ne paraissent pas être encore ce qu'on peut imaginer de fonctionnellement plus primitif. Une comparaison va le montrer.

Il est habituel d'observer, au cours des premières semaines, des mouvements que leur soudaineté, leur intermittence, leur dispersion sporadique à travers les groupes musculaires ont fait assimiler aux secousses de la chorée. Ils paraissent, en effet, exploser par une simple libération d'énergie dans des fragments dissociés de l'appareil moteur : synergies encore morcelées chez le nourrisson et qui retombent en morceaux dans la chorée. Les sensations kinesthésiques qui peuvent leur répondre surgissent et s'évanouissent, ne donnant au choréique qu'une impression d'impuissance et d'énervement. Sans liaison ni possibilité de liaison entre eux, échappant à toute intention, y compris cette intention organique qu'est l'attitude où se préforme le mouvement, ils ne peuvent même pas laisser une trace, car il n'y a pas de trace sans une direction, un point de départ et tout au moins l'amorce de certaines connexions. S'ils se dérobent aux déterminations de la sensibilité, ce n'est donc pas seulement parce qu'elle est étrangère à leur incitation, c'est qu'ils ne peuvent rien y insérer de précis et de repérable.

Sans un rapport exact entre chaque système de contractions musculaires et les impressions correspondantes, le mouvement ne peut entrer dans la vie psychique ni contribuer à son développement. A quel moment situer ce rapport ? Ceux qui ont reconnu sa nécessité cherchent à lui assigner le début le plus précoce. Mais il y a deux domaines à distinguer : celui du corps propre et celui de ses relations avec le monde extérieur. La sensibilité du corps propre est celle que Sherrington a appelée proprioceptive, par opposition à la sensibilité extéroceptive, qui est tournée vers l'extérieur et qui a pour organes les sens. A chacune des deux répondent des formes d'activité musculaire distinctes, bien qu'étroitement conjuguées.

La sensibilité proprioceptive est liée aux réactions d'équilibre et aux attitudes, qui ont pour étoffe la contraction tonique des muscles. Entre le tonus musculaire et les sensibilités correspondantes il semble y avoir une sorte d'union et de réciprocité immédiates : la localisation, la propagation de leurs effets sont strictement superposables et les spasmes, qui sont leur aspect paroxystique, montrent comment la contraction musculaire et la sensation semblent s'entretenir mutuellement. Elles sont comme étroitement coadhérentes. Au contraire, l'impression extéroceptive et le mouvement qui lui répond sont aux deux extrémités d'un circuit plus ou moins vaste. Entre l'œil qui regarde l'objet et la main qui le saisit, aucune similitude d'organe. Entre l'impression visuelle et les contractions musculaires, des systèmes complexes de connexions nerveuses. De longs mois sont nécessaires pour que l'enfant en dispose. Maturation organique des centres et apprentissage doivent d'étape en étape se compléter. Mais comment s'opère, à chacune, la liaison de la sensibilité et du mouvement ?

Sous le nom de *réaction circulaire*, Baldwin cherche à montrer que cette liaison est fondamentale. Il n'y a pas de sensation qui ne suscite des mouvements propres à la rendre plus distincte, et pas de mouvement dont les effets sur la sensibilité ne suscitent de nouveaux mouvements jusqu'à ce que l'accord soit réalisé entre la perception et la situation correspondante. La perception est activité tout autant que sensation ; elle est essentiellement adaptation. Tout l'édifice de la vie mentale se construit, à ses différents niveaux, par adaptation de notre activité à l'objet, et ce qui dirige l'adaptation, ce sont les effets de l'activité sur l'activité elle-même. Les exemples d'activité circulaire sont constants chez l'enfant. A tout instant l'effet produit par un de ses gestes suscite un nouveau geste destiné à le reproduire et souvent à le modifier au cours de séries à variations systématiques. Ainsi l'enfant apprend à user de ses organes sous le contrôle de sensations produites ou modifiées par lui-même et à mieux identifier chacune de ses sensations, en la produisant différemment de ses voisines. Les émissions vocales par lesquelles il prélude, avec tant d'abondance, à l'exacte perception et à l'énonciation des sons, dont plusieurs sont des phonèmes du langage parlé autour de lui, montrent bien comment il apprend à réaliser toutes les relations possibles entre les domaines acoustique et kinesthésique par l'enchaînement mutuel des effets et des actes.

La place faite à l'influence de l'effet sur le progrès mental est aujourd'hui très grande. C'est par elle que Thorndike explique l'apprentissage. Si les tâtonnements du début font place à un mouvement ou à une conduite bien adaptés, c'est qu'entre les premiers essais une sélection s'est opérée, qui a éliminé tout ce qui n'était pas adéquat à la situation, tout ce qui était erreur. L'effet favorable entraîne la répétition du geste utile, et l'échec la suppression du geste nuisible. C'est ainsi que l'animal placé dans un labyrinthe finit par éviter les impasses. Dans une autre expérience d'aspect tout différent, l'enfant qui doit réagir à chacun des mots énoncés devant lui par un chiffre de son choix retient de préférence aux autres celles de ces associations arbitraires qu'a suivies une approbation de l'expérimentateur.

Dans les conditions courantes de la vie, les cas où l'effet peut jouer son rôle sont nombreux. Il est tantôt quelconque et inopiné, tantôt attendu et prévu. Il arrive souvent que le petit enfant s'arrête, surpris par un de ses propres gestes, dont il ne paraît s'apercevoir qu'à ses conséquences. C'est le changement survenu dans son champ d'activité ou de perception qui paraît lui faire découvrir, puis répéter le mouvement qui en est la cause. Le vif éveil de sa curiosité par tout ce qui est nouveauté l'amène à ce retour sur sa propre activité. Retour d'ailleurs tellement spontané qu'il se produit aussi, alors que l'effet est d'origine étrangère. Combien de fois l'adulte lui-même n'est-il pas tenté de vérifier, en accentuant une attitude ou un geste, si ce n'est pas lui l'auteur du craquement ou du balancement qu'il perçoit dans son voisinage. Tout ce qui appartient à un même moment de notre conscience semble participer à une même existence indivise, et c'est seulement par l'exercice de notre activité qu'il est possible de distinguer ce qui ne dépend pas d'elle.

D'autres fois, l'effet produit était attendu. Tantôt prévu, tantôt quelconque. Provoquer un effet connu est une des occupations préférées du petit enfant. Souvent même il le fait avec une monotonie lassante qui donne l'impression d'un plaisir lié non à l'effet particulier dont il est l'auteur, mais au simple fait d'être auteur d'un effet. C'est la fonction de l'effet sous sa forme pure. Dans d'autres cas, au contraire, il agit pour voir ce que va produire son action. C'est alors la diversité des effets possibles qui paraît susciter son intérêt. Mais cette recherche est dominée par la certitude en quelque sorte naturelle et nécessaire que son action doit avoir un effet, qu'il n'y a pas d'action sans effet. La distinction de l'effet et de l'action n'est en effet qu'une simple abstraction. Dans toute action il y a quelque chose qui est son contenu, son occasion, son but. Toute action se mesure aux changements soit subjectifs, soit objectifs qu'elle provoque ou cherche à provoquer.

Le mécanisme psychologique de l'effet a été très discuté. Selon Thorndike, l'acte et l'effet sont des termes primitivement distincts. Si le rat placé dans un labyrinthe finit par s'engager sans erreur dans la direction juste, c'est qu'entre cette direction et ses pas il s'est formé une connexion dont l'origine est l'insatisfaction ressentie dans les impasses et la satisfaction d'une libre progression dans la bonne voie. Pour unir les deux termes, il faut donc l'intervention d'un facteur affectif. De même, dans l'épreuve des chiffres quelconques par lesquels l'enfant doit réagir aux mots énoncés devant lui, c'est la satisfaction d'être tombé juste qui lui fait retenir les couples approuvés par l'expérimentateur. Ici encore, deux termes primitivement distincts et une connexion d'origine affective. Associationnisme et utilitarisme ou hédonisme, deux doctrines si souvent complémentaires, collaborent ici encore à l'explication.

Mais les objections ont été nombreuses. Elles ont porté d'abord sur la notion de connexion. Que signifie-t-elle exactement ? Quel fondement physiologique ou psychologique lui donner ? Comment une satisfaction ultérieure peut-elle influer sur la répétition d'un acte qui l'a précédée ? La critique la plus radicale est celle qu'a inspirée la psychologie de la *Gestalt*. Peut-on parler de connexion entre des termes qui n'ont pas d'existence définie, fixe ni distincte ? Quels sont, en effet, ces gestes et cette situation qu'il s'agit d'unir ? Les gestes ou le comportement d'un rat enfermé dans une cage d'où il cherche à sortir sont d'une extrême diversité, ils se transforment, ils font varier le champ et la structure de la perception, c'est-à-dire de la situation, et varient avec elle. Même quand l'expérience est construite de manière à limiter les gestes possibles, à ne laisser par exemple que l'alternative du choix entre deux directions dans le labyrinthe, la similitude ainsi réalisée entre les gestes qui sont censés se répéter n'est qu'apparente. Ils n'entrent pas dans les traces les uns des autres. Il n'y a pas de trace qui ne fasse partie de l'ensemble qui s'organise en même temps que l'action se développe, et qui par conséquent ne soit différente d'une phase à l'autre. Un fragment du comportement n'a aucune individualité, il n'a de signification que dans et par le comportement dont il fait partie. Une « appartenance » commune unit les termes entre lesquels on essaie d'établir une connexion extrinsèque après les avoir arbitrairement dissociés et isolés. Ils font partie d'un ensemble qui a sa structure.

Le principe de cette structure, de cette appartenance

mutuelle, peut être, dit Koffka, de nature très diverse. L'unité qui en résulte sera, suivant les cas, celle d'une exacte convenance entre les gestes eux-mêmes dans l'exécution la plus minutieuse, la plus rapide, la plus économique d'un mouvement, ou celle d'une parfaite cohérence avec la situation, avec l'effet attendu. Elle peut aussi consister en simples rapports de proximité dans le temps ou dans l'espace. Ce serait là, semble-t-il, en revenir au vieux principe associationniste de la contiguïté. Mais la liaison dont il s'agit n'est plus opérée comme automatiquement, elle n'a pas dans l'espace ou dans le temps sa raison suffisante, elle dépend du pouvoir qu'a l'unité d'en tirer son organisation. Peut-être cependant le problème est-il encore posé de façon trop formelle, et les solutions ont-elles quelque chose de trop statique. L'exemple de l'enfant peut montrer toute une hiérarchie d'effets en fonction desquels l'action s'organise.

Les plus primitifs sont les effets les plus subjectifs. Le geste peut trouver dans son propre accomplissement, dans sa cadence, dans son rythme, dans son aisance, dans la préciosité de ses contournements, l'effet qui le stimule et qui le dirige. C'est là une source abondante d'activité chez le petit enfant et chez certains idiots. L'effet peut aussi résulter de l'accord entre une attitude et le geste correspondant. Dans combien de ses amusements spontanés l'enfant paraît-il s'appliquer à dissocier l'une de l'autre en insistant sur elle, en la prolongeant, puis en laissant échapper le geste de façon concertée ou comme à l'improviste. Il semble vouloir jouer avec leurs rapports. Mais les termes qu'ils unissent ne sont pas, comme dans l'hypothèse associationniste, primitivement distincts; leur unité est intrinsèque, elle ne fait que survivre au dédoublement qu'elle précédait.

A un niveau plus élevé, l'effet peut être d'origine externe, tout en s'incorporant au geste. Une petite fille de 1 an tire sur le tapis de la table, que le père doit rattraper pour l'empêcher de glisser à terre. La seconde fois, il pose la main dessus et le retient quand elle l'a déjà quelque peu déplacé. Elle s'arrête, étonnée, puis recommence, mais limite son geste au léger déplacement qui précédait, et elle recommence ainsi à plusieurs reprises. Le geste, au lieu de suivre sa plus grande amplitude, comme d'abord, poursuit donc un effet dont la cause initiale était une résistance étrangère. Il se mesure lui-même et substitue à la force antérieurement déployée celle qui est juste nécessaire pour retrouver une limitation qui avait d'abord causé de la surprise. Ici non plus l'unité entre l'acte et l'effet n'est pas extrinsèque. C'est une modification réellement éprouvée du geste qui en devient le régulateur et qui devient ainsi l'intermédiaire entre une circonstance extérieure et lui.

L'effet peut encore fusionner deux domaines différents de l'activité. Comme il était arrivé bien souvent déjà sans susciter aucune marque d'intérêt, la main de l'enfant passe dans son champ visuel. Mais voici que son regard la fixe, qu'il la maintient immobile, puis l'éloigne, puis la ramène, et cette manœuvre est pour quelque temps son exercice préféré. Sans doute un geste fortuit en est le point de départ. Mais il n'a pu se répéter en vue de l'effet à reproduire que le jour où une coordination entre l'activité du champ visuel et celle des mouvements volontaires est devenue possible. C'est cette nouvelle unité interfonctionnelle, évidemment liée à la maturation de centres nerveux, que l'enfant découvre et qu'il se met à explorer. Ainsi les liaisons qu'il reconnaît et qu'il établit n'assemblent pas des éléments sans lien entre eux. Elles ne font qu'utiliser des montages disponibles. Mais elles n'en sont pas moins susceptibles de se multiplier et de se diversifier plus ou moins suivant les circonstances et leur utilisation.

De même l'aptitude à percevoir et à réaliser dans l'espace ou dans le temps, non seulement des rapports de contiguïté, comme l'indique Koffka, mais aussi des configurations, des durées, des rythmes, est sans doute à la base de bien des apprentissages. Celui du labyrinthe ne se fait pas de carrefour à carrefour par unités distinctes, mais comme une esquisse de l'ensemble remaniée d'épreuve en épreuve. C'est d'une succession qualitative qu'émergent ensuite les unités, et non d'unités simplement juxtaposées que résulte l'apprentissage du trajet correct. Directions et distances fusionnent dans une sorte de tout dynamique dont la poursuite guide l'animal. L'effet n'est pas extérieur à l'acte. Il en est à tout instant et simultanément le résultat et le régulateur.

L'union de l'acte et de l'effet peut encore ne pas avoir pour fond un canevas fonctionnel, mais associer des circonstances ou des objets dont l'assemblage est contingent, arbitraire et dépend uniquement de l'activité qui les combine. C'est un cas semblable que Thorndike a voulu réaliser avec son épreuve mot-chiffre. Mais ici non plus, si disparates qu'ils semblent, les deux termes ne sont pas liés après coup. Ils le sont déjà en puissance par la consigne donnée, par le thème de l'expérience, par l'attente qu'elle suscite, par la conclusion qu'elle implique. Le mot inducteur creuse un vide que le chiffre vient combler, mais seulement à titre provisoire. S'il n'est pas fixé par l'approbation escomptée, rien de surprenant qu'il s'efface. C'est un seul acte continu qui se développe entre les deux interventions initiale et terminale de l'expérimentateur, interventions complémentaires l'une de l'autre. La réponse du sujet est aussi solidaire de l'une que de l'autre. Sans la seconde, l'opération reste inachevée et ne laisse pas de trace.

Sans doute, la satisfaction d'avoir deviné juste est-elle, selon Thorndike, ce qui s'ajoute au couple chiffre-mot pour le lier. Mais Tolman a montré qu'en certains cas un résultat semblable peut être obtenu par une désapprobation, qui est elle aussi une sorte de conclusion. Ce qui est essentiel, c'est que l'acte ait accompli son cycle et que l'attente ait trouvé son objet. Une impression pénible, une souffrance peut, aussi bien qu'un plaisir, la combler, lui donner une signification importante. Elle peut être l'indice de ce que nous cherchons ou de ce que nous voulons éviter. A ce titre, elle est même souvent guettée. Elle est intégrée à beaucoup de nos actions comme un stimulant, comme un avertissement, comme un ingrédient nécessaire ou habituel, dont nous prend parfois le besoin de vérifier à tout prix l'existence. La souffrance est un effet parmi beaucoup d'autres sur lesquels notre activité se règle et qui servent à en fixer les résultats.

Depuis les impressions dont s'accompagne l'exercice d'une

fonction jusqu'aux critères qui règlent l'accomplissement d'une tâche, ce qu'on a appelé la loi de l'effet se trouve avoir considérablement élargi le domaine de ces réactions circulaires qui sont le principe des premiers exercices spontanés auxquels se livre le petit enfant. Dans le champ des expériences possibles, elle suscite ses actes d'investigation et d'acquisition concrètes. Elle lui fait poursuivre d'étape en étape un perpétuel travail d'identification fonctionnelle et objective.

CHAPITRE 5

LE JEU

L'activité propre à l'enfant, a-t-on dit, est le jeu, et, comme il y met souvent une application extrême, certains auteurs, dont W. Stern, ont dû lui attribuer ce qu'ils appellent des *jeux sérieux*. Le jeu serait, selon Mme Ch. Bühler, une étape de son évolution totale qui se décomposerait elle-même en périodes successives. Effectivement il se confond bien avec son activité entière, tant qu'elle reste spontanée et ne reçoit pas ses objets des disciplines éducatives. Au premier stade, les jeux purement fonctionnels, puis les jeux de fiction, d'acquisition et de fabrication.

Les *jeux fonctionnels* peuvent être des mouvements très simples, comme d'étendre et de ramener les bras ou les jambes, d'agiter les doigts, de toucher les objets, de leur imprimer des balancements, de produire des bruits ou des sons. Il est facile d'y reconnaître une activité en quête d'effets, d'ailleurs encore élémentaires, et que domine cette loi de l'effet dont nous avons vu quelle est l'importance fondamentale pour préparer l'utilisation concertée, toujours mieux appropriée et plus diverse de nos gestes. Avec les *jeux de fiction*, dont le type est de jouer à la poupée, de chevaucher un bâton comme si c'était un cheval, etc., intervient une activité dont l'interprétation est plus complexe, mais aussi plus voisine de certaines définitions mieux différenciées qui ont été proposées du jeu. Dans les *jeux d'acquisition*, l'enfant est, suivant une expression courante, tout yeux et tout oreilles, il regarde, écoute, fait effort pour percevoir et comprendre : choses et êtres, scènes, images, récits, chansons semblent le capter totalement. Dans les *jeux de fabrication*, il se plaît à assembler, combiner entre eux des objets, à les modifier, les transformer et en créer de nouveaux. Loin d'être éclipsées par les jeux de fabrication, la fiction et l'acquisition y jouent souvent un rôle.

Pourquoi a-t-on donné à ces activités diverses le nom de jeu ? Évidemment par assimilation à ce qu'est le jeu chez l'adulte.

Il est d'abord délassement et, par là, s'oppose à l'activité sérieuse qu'est le travail. Mais ce contraste ne peut exister chez l'enfant qui ne travaille pas encore et dont le jeu est toute l'activité. Il convient pourtant d'examiner si l'activité qui délasse n'a pas quelque ressemblance avec celle de l'enfant.

Le jeu n'est pas essentiellement ce qui ne demanderait pas d'effort, à l'encontre du labeur quotidien, car il peut appartenir au jeu d'exiger et de libérer des quantités beaucoup plus considérables d'énergie que ne pourrait faire une tâche obligatoire : ainsi de certaines compétitions sportives ou même d'œuvres poursuivies solitairement, mais librement. Le jeu ne fait pas non plus qu'utiliser les forces laissées sans emploi par le travail. En particulier, il ne consiste pas toujours à rétablir l'équilibre entre des aptitudes inégalement mises à l'épreuve : dépenses motrices après le travail intellectuel ou chez le travailleur intellectuel ; récréations intellectuelles après un travail manuel ou chez le travailleur manuel. Car l'habitude des occupations intellectuelles peut, au contraire, développer le goût des récréations intellectuelles, et l'application courante aux gestes professionnels susciter celui des sports. Après un travail de tête, le délassement peut être une partie d'échecs, après un travail de force, ce n'est pas toujours une lecture même distrayante. Bien plus, une lecture plus difficile peut éventuellement servir de récréation à une autre, pourvu qu'elle n'ait pas comme celle-ci à s'intégrer dans un labeur et qu'elle soit une lecture en marge des tâches à réaliser.

Il n'y a pas d'activités, si ardues soient-elles, qui ne puissent servir de motif au jeu. Beaucoup de jeux poursuivent la difficulté, mais il faut que ce soit pour elle-même. Les thèmes que se propose le jeu ne doivent pas avoir de raison hors d'eux-mêmes. On a pu appliquer au jeu la définition que Kant a donnée de l'art : « une finalité sans fin », une réalisation qui ne tend à rien réaliser que soi. Dès qu'une activité devient utilitaire et se subordonne comme moyen à un but, elle perd l'attrait et les caractères du jeu.

Avec cette définition concorde la distinction que Janet a faite entre l'activité réaliste ou pratique et l'activité ludique ou activité de jeu. Adapter sa conduite aux circonstances, de manière à obtenir des résultats conformes à une nécessité soit extérieure, soit intentionnelle, suppose, selon Janet, l'intervention de ce qu'il appelle la « fonction du réel », sans laquelle il n'y a pas d'action véritablement complète. Si simple soit-elle, cette action exige un degré de « tension psychique » qui fait défaut dans une action même beaucoup plus complexe, mais inadaptée, à plus forte raison dans une action qui n'a d'autre but ni d'autre condition qu'elle-même. Il y a des moments où de tels actes sont les seuls auxquels le sujet consente. Il y a des cas d'asthénie psychique où le malade n'en peut exécuter d'autres. Ils présentent une forme dégradée de l'activité, mais aussi un état de détente dans l'exercice des fonctions psychiques, qui explique le caractère récréatif du jeu.

L'opposition entre l'activité ludique et la fonction du réel peut montrer en quel sens l'activité de l'enfant ressemble au jeu. Par la fonction du réel, les actes s'intègrent dans l'ensemble des circonstances qui les rendent efficaces : circonstances extérieures qui leur permettent de s'insérer, pour le modifier, dans le cours des choses ; circonstances mentales qui les font servir à la poursuite d'un dessein, d'une conduite, à la solution d'un problème. La distinction n'est d'ailleurs que provisoire. Car le lieu, les moyens et le terme de toute réalisation ne peuvent être en définitive que dans le monde extérieur. Mais le circuit des opérations — ou la série des intégrations — qui y ramènent peuvent être plus ou moins longs, plus ou moins développés, les opérations mentales les plus élevées étant liées à la fonction des centres nerveux supérieurs, auxquels sont de proche en proche intégrées les fonctions de niveau inférieur, en commençant par les fonctions végétatives elles-mêmes.

La comparaison des espèces dans leur série évolutive, aussi bien que le développement individuel du système nerveux dans chaque espèce, montrent qu'il y a succession dans la formation des structures anatomiques qui rendent possibles les manifestations d'activité, depuis les plus immédiates ou les plus élémentaires jusqu'à celles dont les motifs appartiennent au domaine de la représentation concrète ou symbolique et de ses combinaisons. L'ordre dans lequel la structure des centres nerveux s'achève et amène à maturation les fonctions correspondantes reproduit celui de leur apparition dans l'échelle des espèces. Les plus primitives s'intègrent progressivement aux plus récentes et perdent ainsi leur autonomie fonctionnelle, c'est-à-dire leur pouvoir de s'exercer sans contrôle.

Mais la période qui suit leur maturation et qui précède celle des centres auxquels devra s'assujettir leur activité est une période de libre exercice. Provisoirement isolées, ces fonctions ne répondent pas au plan d'activité efficace qui est devenu celui de l'espèce. Aussi leurs manifestations ont-elles quelque chose d'inutile et de gratuit. Elles semblent jouer pour elles-mêmes. Et c'est ainsi qu'elles peuvent rappeler les jeux de l'adulte.

Effectivement les étapes que suit le développement de l'enfant sont marquées chacune par l'explosion d'activités qui semblent, pour un temps, l'accaparer presque totalement et dont il ne paraît pas se lasser de poursuivre tous les effets possibles. Elles jalonnent son évolution fonctionnelle, et certains de leurs traits pourraient être retenus comme une épreuve propre à déceler ou à mesurer l'aptitude correspondante. Des jeux auxquels la collaboration entre enfants ou la tradition ont fait prendre une forme bien définie pourraient servir de tests. D'âge en âge, ils signalent l'avènement des fonctions les plus diverses. Fonctions sensori-motrices avec leurs épreuves d'adresse, de précision, de rapidité, mais aussi de classement intellectuel et de réaction différenciée, comme *pigeon-vole*. Fonctions d'articulation, de mémoire verbale et de dénombrement, comme ces *comptines* ou *formulettes* que les jeunes enfants apprennent les uns des autres avec tant d'avidité. Ou encore fonctions de sociabilité, sous le couvert de ces parties qui opposent des équipes, des clans, des bandes, où les rôles sont distribués en vue de la collaboration la plus efficace pour le succès commun sur l'adversaire.

La progression fonctionnelle que marque la succession des jeux durant la croissance de l'enfant est régression chez l'adulte, mais régression consentie et en quelque sorte exceptionnelle. Car il n'y a pas que la désintégration globale de son activité vis-à-vis du réel. C'est entre elles que souvent le jeu libère les activités. Le bien-être qu'il cause d'emblée est celui d'une période où rien va pouvoir ne plus compter sinon les seules incitations, soit intimes, soit extérieures, qui se rapportent à l'exercice d'aptitudes habituellement contraintes, découpées selon les besoins de l'existence et y perdant leur physionomie, leur saveur originales. Il suppose assurément, à l'égard des tendances et habitudes utilitaires, un pouvoir de mise en sommeil, en état de résolution fonctionnelle qui n'est pas le même chez tous ni à tous les instants. Ne sait pas jouer qui veut ni quand il veut. Il y faut des dispositions et parfois un apprentissage ou un réapprentissage. Si la compagnie des enfants peut être si reposante, c'est en ramenant l'adulte à des activités déliées entre elles et insouciantes.

Ce que nous venons de voir des rapports que le jeu soutient avec la dynamique et la genèse de l'activité totale rend compte des contradictions qui s'observent dans ses définitions et aussi dans sa réalité.

Alors qu'il est pour Janet une forme d'activité dégradée, Herbert Spencer en faisait le résultat d'une activité surabondante, dont les tâches courantes n'auraient pu épuiser toutes les ressources. On a facilement objecté qu'il survient souvent à des moments de lassitude où toute occupation sérieuse et utile deviendrait pénible; il serait donc bien une manifestation d'épuisement, tout au moins relatif. Pourtant l'activité « ludique » que Janet décrit, dans la psychasthénie, comme l'effet d'un voltage trop bas pour produire un acte qui soit au niveau des circonstances réelles, est bien loin d'être complètement assimilable au jeu. Elle en est même, par certains côtés, l'inverse. Souvent accompagnée d'angoisse, elle n'en a pas l'influence tonique et ne mérite à aucun degré, comme lui, le nom de *récréation*.

Le jeu est sans doute une infraction aux disciplines ou aux tâches qu'imposent à tout homme les nécessités pratiques de son existence, le souci de sa situation, de son personnage. Mais, bien loin d'en être la négation ou d'être renoncement, il les suppose. C'est par rapport à elles qu'il est goûté comme une détente et aussi comme une reprise d'élan ; car, à l'abri de leurs exigences, il est le libre inventaire et la mise au point de telles ou telles disponibilités fonctionnelles. Il n'y a jeu que s'il y a satisfaction de soustraire momentanément l'exercice d'une fonction aux contraintes ou aux limitations qu'elle subit normalement d'activités en quelque sorte plus responsables, c'est-à-dire tenant un poste plus éminent dans les conduites d'adaptation au milieu physique ou au milieu social. La désintégration passagère suppose l'intégration habituelle.

Il en résulterait que tous ces « jeux » des enfants, qui sont la première explosion des fonctions les plus récemment apparues, ne pourraient être appelés jeux, puisque n'existe pas encore celle qui pourrait les intégrer à des formes supérieures d'action. Et ce qui distingue effectivement le jeu des plus jeunes, c'est qu'étant toute leur activité, il y manque la conscience du jeu. Cependant, cette activité tend à se dépasser elle-même. Tout arrêt de développement, qui la fixe dans les mêmes formes, substitue au jeu des stéréotypies, qui donnent au comportement de l'idiot la même monotonie qu'à celui du psychasthénique et à son humeur le même aspect d'obsession et d'acharnement morose. Le jeu de l'enfant normal, au contraire, ressemble à une exploration jubilante ou passionnée, qui tend à faire l'épreuve de la fonction dans toutes ses possibilités. Il paraît entraîné par une sorte d'avidité ou d'attirance à lui faire toucher ses limites, c'est-à-dire l'instant où elle ne saurait plus que se répéter, à moins de s'intégrer à une forme supérieure d'activité dont elle-même rend l'avènement possible, et d'y aliéner son autonomie. Tout développement supposant des étapes ultérieures, elles jouent chez l'enfant le même rôle que, chez l'adulte, les activités à l'égard desquelles, par une sorte de retour en arrière, le jeu peut momentanément libérer l'exercice des fonctions que leur usage habituel rend serves.

Cette relation manifeste des jeux avec le développement des aptitudes chez l'enfant et avec leur hiérarchisation fonctionnelle chez l'adulte a inspiré deux théories, de sens contraire, qui cherchent à les expliquer par l'évolution, l'une invoquant le passé et l'autre l'avenir.

Selon Stanley Hall, ils seraient, d'âge en âge, la reviviscence des activités que le cours des civilisations a fait se succéder dans l'espèce humaine. Les instincts de chasse ou de guerre, par exemple, surgiraient à leur rang dans la croissance psychique de l'enfant, amenant même la réinvention de techniques primitives, comme celle de la fronde ou du tir à l'arc. Mais la soi-disant reproduction de la *phylogenèse* par l'*ontogenèse*, qui n'est pas sans présenter des difficultés, appliquée à la simple succession des formes anatomiques chez l'embryon, devient beaucoup plus invraisemblable encore s'il s'agit d'assimiler aux étapes de la civilisation celles que son développement spontané fait parcourir au psychisme de l'enfant. Car le trait d'union devrait être nécessairement biologique. Il faudrait même admettre, avec l'hérédité des caractères acquis, qui est loin d'être démontrée, celle de systèmes bien complexes, où seraient impliqués, en même temps que les gestes, les instruments qui leur correspondent. Mais, l'organisme fût-il capable de fixer pareilles combinaisons, comment leur stabilisation biologique ne ferait-elle pas obstacle à ce renouvellement souvent rapide des techniques, sans lequel il n'y aurait pas d'histoire humaine [1] ?

En réalité, cette hypothèse d'une récapitulation comme automatique par l'enfant des époques vécues par ses ancêtres procède de la vieille confusion entre le biologique et le social, qui amène à se représenter le comportement de l'individu comme la conséquence immédiate et en quelque sorte mécanique de sa constitution psycho-physiologique. Or, c'est inévitablement le milieu qui impose à l'activité d'un être ses moyens, ses objets, ses thèmes, et, quand il s'agit de l'homme, le milieu social se superpose au milieu naturel pour le transformer d'âge en âge et s'y substituer pratiquement. Plus l'enfant est jeune, c'est-à-dire a besoin de soins, et plus strictement il en dépend. Toute similitude authentique entre ses jeux et les pratiques d'une autre époque ne pourrait donc avoir pour origine qu'une de ces traditions, dont l'adulte peut avoir perdu le souvenir, mais dont la transmission entre enfants est aussi persistante que subtile.

Plus souvent encore, semble-t-il [2], cette similitude a pour cause l'utilisation d'objets, tellement courants qu'ils appartiennent à toutes les époques, suivant les possibilités et les suggestions qu'ils offrent aux possibilités motrices, perceptives, intellectuelles du sujet. Ce pouvoir de combinaison instrumentale met d'ailleurs entre les espèces animales de grandes différences, s'améliore avec l'âge de l'enfant, varie avec ses aptitudes individuelles. A égalité de niveau mental, rien de surprenant que les mêmes combinaisons se répètent en présence des mêmes situations et des mêmes réalités ; qu'elles donnent lieu à des « structures » en quelque sorte spécifiques entre l'activité et l'objet, par une sorte d'induction ou de création réciproques. Combien de jeux, que les enfants s'empruntent d'ailleurs entre eux, s'expliquent par le simple besoin

1. Voir Ire partie, chap. 3.
2. Voir IIIe partie, chap. 10.

d'entreprendre sur le monde extérieur, afin d'en approprier les moyens à ses propres moyens et pour s'en assimiler toujours plus étroitement des parties plus étendues.

Cette incitation directe et constante du milieu sur toutes les velléités de l'enfant ne pourrait que réduire les vestiges des actions ancestrales, si elles avaient en effet tendance à se reproduire pour elles-mêmes. L'indispensable économie des instants et des forces oblige l'inutile passé à s'abolir d'autant plus complètement devant le présent que la marge des progrès possibles est plus grande dans l'espèce humaine.

Mais le progrès s'explique-t-il par la seule action du présent et ne peut-il pas être entraîné vers l'avenir par une série d'anticipations ? Pour cette sorte de progrès qui fait sortir l'adulte de l'enfant suivant un cycle que règle un strict enchaînement de conditions physiologiques, l'hypothèse est possible. Ainsi les jeux seraient la préfiguration et l'apprentissage des activités qui doivent s'imposer plus tard. Ils diffèrent chez le garçon et la fille, empruntant leurs traits au rôle qui les attend chacun. Sans doute sont-ils déjà dominés par la différenciation qui s'observe à la fois dans la morphologie et dans le comportement de l'un et de l'autre. On sait qu'elle subit l'influence d'hormones qui sont différentes suivant le sexe et on a même pu observer, à certaines époques qui précèdent de loin la maturité sexuelle, des signes d'activité du côté des glandes génitales. Les pressentiments fonctionnels et les anticipations de l'instinct sur la date de sa véritable efficience s'expliqueraient donc sans mystère. Cependant les coutumes et les mœurs peuvent aussi contribuer à opposer les jeux des garçons et des filles dans une mesure qu'il est difficile d'évaluer. Même avec une éducation toute semblable, pourraient encore subsister entre eux la différence des occupations domestiques et surtout l'exemple des adultes, sur lequel chacun, selon son sexe, calque ses prévisions d'avenir et son orientation mentale.

S'inspirant, pour interpréter les jeux, des mêmes principes évolutionnistes que les théories de la récapitulation et de l'anticipation fonctionnelle, celle de Freud les contredit dans ses applications. L'instinct sexuel ou *libido*, quel qu'en soit le support biologique, imposerait ses exigences dès la naissance. Mais avant qu'il puisse se fixer sur son véritable objet, qui est en rapport avec la maturation des fonctions génitales et avec l'acte de la reproduction, ses fixations obéiraient à la détermination combinée des sensibilités propres à chaque étape du développement individuel et d'influences qui remontent au plus lointain passé de l'espèce. Tandis que les buts fonctionnels de la sexualité exigent de l'enfant qu'il se détache tour à tour des objets provisoires dans lesquels elle s'est investie, les « complexes » dans lesquels se survivent des situations ancestrales tendent à lui faire retenir les fixations en rapport avec eux. Le conflit peut devenir d'autant plus grave que le complexe n'est pas avoué par la conscience, qu'il est censuré, refoulé parce qu'en opposition scandaleuse avec la morale. Ce refoulement ne peut supprimer la libido ; il l'oblige seulement à se déguiser. A côté des manifestations névrotiques ou psychopathiques, et des rêves, les jeux sont un de ces déguisements. Au lieu d'être, comme dans les théories précédentes, une expression de la fonction, ils en sont un travestissement.

Leur utilité serait d'opérer par le moyen de ces satisfactions détournées une vraie *catharsis*. Les situations qu'ils offrent aux démonstrations de la libido sont de celles dont il est impossible de s'effaroucher. En les substituant à son objet véritable, ils lui donnent pourtant occasion de se déployer et de s'exprimer. Sans doute, ce transfert lui épargne-t-il d'avoir ses conséquences réelles, mais redoutables. Il lui conserve cependant sa signification qui, pour être inavouée, n'en est que plus apte à susciter, diversifier et satisfaire les besoins d'une sensibilité avide de s'éprouver et de se connaître. Le passage s'opère ainsi de la réalité à son image par l'intermédiaire de figurations plus ou moins transparentes. Le mérite majeur de cette théorie, c'est bien, sans doute, d'attirer l'attention sur ce qu'il y a de fiction dans le jeu. Avec la fiction s'introduit dans la vie mentale l'usage des simulacres, qui sont la transition nécessaire entre l'indice, encore lié à la chose, et le symbole, support des pures combinaisons intellectuelles. Aidant l'enfant à franchir ce seuil, le jeu tient là un rôle important dans son évolution psychique.

***

Si ces diverses théories ne donnent pas du jeu une explication satisfaisante, ce n'est pas à cause de leurs contradictions, mais de leurs prémisses contestables et des systématisations trop fragmentaires qui en découlent. Le jeu résulte lui-même du contraste entre une activité libérée et celles où normalement elle s'intègre. C'est entre des oppositions qu'il évolue, en les surmontant qu'il se réalise.

Action qui se libère de ses contraintes habituelles il a vite fait de se perdre en répétitions monotones et fastidieuses s'il ne s'impose pas des règles, parfois plus strictes que les nécessités auxquelles il se dérobe. A sa phase purement négative doit donc en succéder une autre, qui restaure ce qui avait été aboli, mais en donnant un autre contenu à l'activité, un contenu purement fonctionnel. Car ce sont habituellement des difficultés tirées des fonctions mêmes auxquelles le jeu fait appel que ses règles suscitent. Au lieu d'obstacles quelconques dus aux circonstances, des difficultés choisies, spécifiques, qu'il faut résoudre pour elles-mêmes, et non plus sous la pression des événements, de l'intérêt. Pourtant ce caractère gratuit de l'obéissance aux règles du jeu est loin d'être absolu, définitif ; leur observance peut avoir pour effet de supprimer le jeu, qu'elles sont faites pour alimenter ; car s'il est vrai que leur signification procède de l'activité dont elles se font les guides, elles peuvent inversement aussi contribuer à lui retirer son caractère de jeu.

C'est ainsi que leur difficulté, si elle inspire plus la crainte de l'échec que le goût d'en triompher, inflige à l'idée de l'effort un aspect de nécessité qui est rebutant, qui étouffe le libre élan du jeu et le plaisir qui s'y attache. Elles peuvent aussi donner l'impression d'une nécessité extérieure, quand elles sont le code imposé par tous à chacun dans les jeux en commun. L'enfant, qui distingue encore mal entre la causalité objective et la causalité volontaire, entre les obligations inévitables et celles qui sont consenties, se fait souvent un jeu de s'y soustraire en trichant. En bonne logique, il tranche ainsi le jeu à sa racine et le nie dans son principe. En réalité, il tend seulement à le déplacer par substitution d'un objectif à un autre. Mais, en fait, sa tentative de déjouer la vigilance de ses partenaires éveille chez eux l'esprit de chicane, d'où les règles du jeu reçoivent aussitôt un caractère opposé à celui qu'exigerait le jeu. Elles prennent une rigueur absolue et formaliste, un aspect de contrainte, qui sont l'inverse de l'incitation qu'elles devraient être à des actions pleinement libres dans le champ de fonctions nettement qualifiées. Le résultat est probant : rupture entre les joueurs, mécontentement réciproque. Le jeu s'est mué en son contraire.

La tricherie, qui est trop fréquente, trop spontanée, surtout chez les enfants, pour ne pas tenir au jeu par des liens essentiels, pose aussi la question du succès. Ici encore des oppositions. Assurément, le jeu veut être oubli momentané des intérêts pressants de la vie, et pourtant il ne tarde pas à languir si n'intervient pas l'espoir d'une réussite. Par là, selon Janet, il serait tonique, en procurant, à l'encontre de la réalité, des succès faciles. En fait, ce n'est pas leur facilité qui paraît en cause ; plus difficile, le triomphe est d'autant plus tonique ; et dans bien des jeux la difficulté est intentionnellement accrue pour en augmenter l'exaltation. Mais l'avantage ainsi cherché est différent des avantages réels ; il leur est même opposé. A leurs conséquences durables et globales, qui consacrent des supériorités effectives, mais parfois sans titres suffisamment convaincants, il substitue le succès à l'état pur, l'effet immédiat du mérite ou de la chance, d'un certain mérite ou d'une certaine chance, et qui ne leur survit pas. Les suprématies habituelles, celles, par exemple, de la fortune ou de l'autorité, sont donc provisoirement remises en question par le jeu, qui à cet égard-là encore est libérateur.

Mais, pour être complet, un succès doit se faire éprouver, se faire connaître. D'où les menus faveurs qui lui sont en bien des cas ajoutées. Souvent purement démonstratives et symboliques, elles peuvent aussi consister en un bénéfice éventuel qui peut stimuler le plaisir du jeu, parce qu'il est incertain, exceptionnel ou quelque peu inattendu. Mais il peut aussi l'éteindre, s'il est poursuivi pour lui-même et prend place parmi les intérêts de la vie pratique.

C'est pour éviter aux résultats ou aux manifestations du jeu de se ranger, en raison de leur trop grande probabilité ou de leur forme trop prévisible, parmi les choses qui sont dans l'ordre de la vie courante que de tous temps le hasard lui a été combiné. Les règles du jeu sont souvent l'organisation du hasard et compensent ainsi ce que le simple exercice des aptitudes pourrait avoir de trop régulier et de trop monotone. Le hasard est l'antidote du destin quotidien, il contribue à y soustraire le jeu. Il mêle ainsi aux plaisirs fonctionnels une certaine saveur d'aventure. Mais, si sa part s'exagère ou s'il reste seul, encore une fois le jeu est supprimé, le joueur ne connaissant plus que l'angoisse de l'attente. Jouer avec ses émotions, à l'exclusion de toute autre activité physique ou intellectuelle, c'est peut-être bien un jeu, mais d'une espèce particulière et qui s'apparente davantage aux toxicomanies qu'aux joies fonctionnelles.

La fiction fait naturellement partie du jeu, puisqu'elle est ce qui s'oppose à la réalité pesante. Janet a fort bien montré que l'enfant n'est pas dupe des simulacres qu'il utilise. S'il fait la dînette avec des bouts de papier, il sait très bien, en les baptisant mets, qu'ils restent bouts de papier. Il se divertit de sa libre fantaisie à l'égard des choses et de la crédulité complice qu'il lui arrive de rencontrer chez l'adulte. Car, feignant d'y croire lui-même, il superpose aux autres une fiction nouvelle, qui l'amuse. Mais ce n'est encore là qu'une phase négative dont il se lasse vite. Il lui faut bientôt plus de vraisemblance ou du moins plus d'artifice dans la figuration. Il s'astreint à réaliser une plus grande conformité entre l'objet et l'équivalent qu'il cherche à en donner. Ses réussites le réjouissent comme une victoire de ses aptitudes symboliques. On a dit qu'il ne cesse d'alterner entre la fiction et l'observation. En réalité, s'il ne les confond pas, comme parfois il en a l'air, il ne les dissocie pas non plus. Tantôt absorbé par l'une et tantôt par l'autre, il ne se déprend jamais complètement de l'une en présence de l'autre. Il ne cesse de les transposer l'une dans l'autre. Ses observations ne sont pas à l'abri de ses fictions, mais ses fictions sont saturées de ses observations.

***

L'enfant répète dans ses jeux les impressions qu'il vient de vivre. Il reproduit, il imite. Pour les plus jeunes, l'imitation est la règle des jeux. La seule qui leur soit accessible, tant qu'ils ne peuvent dépasser le modèle concret, vivant, pour atteindre la consigne abstraite. Car leur compréhension n'est d'abord qu'une assimilation d'autrui à soi et de soi à autrui, où l'imitation précisément joue un grand rôle. Instrument de cette fusion, elle présente une ambivalence qui explique certains contrastes où le jeu trouve un aliment. Elle n'est pas quelconque, elle est très sélective chez l'enfant. Elle s'attache aux êtres qui ont sur lui le plus de prestige, ceux qui intéressent ses sentiments, qui exercent une attirance d'où son affection n'est pas habituellement absente. Mais en même temps il devient, lui, ces personnages. Toujours entièrement occupé par ce qu'il est en train d'exécuter, il s'imagine, il se veut à leur place. Très vite le sentiment plus ou moins latent de son usurpation va lui inspirer des sentiments d'hostilité contre la personne du modèle, qu'il ne peut éliminer, dont il continue souvent à sentir la supériorité à tout instant inévitable et déconcertante, à qui par suite il en veut de cette résistance à ses besoins d'accaparement et de se préférer soi-même.

Freud est le premier qui ait nettement indiqué cette ambivalence, mais il en renverse les termes : c'est de la jalousie vis-à-vis de son père que partirait l'enfant, et c'est le remords qui l'amènerait à en sublimer l'exemple sous la forme du sur-moi. Le père n'est pourtant pas l'unique objectif de l'enfant, ni la jalousie sexuelle le seul motif dirigeant de sa sensibilité. Au moins aussi primitif et beaucoup plus incessant son besoin d'étendre son activité à tout ce qui l'entoure, en l'absorbant et en s'y absorbant ; mais ensuite de se ressaisir, d'être le conquérant et non le conquis.

Cette double phase rend compte d'une alternative, qui s'observe dans les jeux des enfants et dont il subsiste des vestiges chez l'adulte, entre les jeux qui sont tenus pour défendus et ceux qui sont permis, l'interdiction qui semble peser sur les uns entraînant comme automatiquement pour les autres le besoin de se faire autoriser.

Le sentiment de rivalité que peut éprouver l'enfant à l'égard des personnes qu'il imite explique les tendances anti-adultes dont il fait souvent preuve dans ses jeux. Il lui arrive de les poursuivre en cachette, comme s'ils risquaient de dénoncer les substitutions de personne dont ils sont en imagination l'instrument. Sans doute leur caractère plus ou moins clandestin n'est souvent qu'un moyen de défense contre la censure ou la condescendance des adultes, qui limiteraient leur libre fantaisie ou le crédit que l'enfant veut pouvoir leur accorder. Son monde à lui doit être mis à l'abri de curiosités ou d'interventions intempestives. Mais au secret des jeux se mêle souvent aussi de l'agressivité.

La forme qu'elle prend peut rappeler les plus anciens conflits qui ont heurté l'enfant à l'adulte. Des faits très judicieusement notés par Mlle Suzanne Isaacs montrent, en effet, la liaison fréquente qui s'observe dans le comportement de l'enfant entre le scatologique et l'insubordination. Dans le moment où il satisfait ses besoins, il manifeste parfois un goût farouche d'opposition, et inversement son opposition emprunte ses moyens d'expression au vocabulaire ou même aux réalités scatologiques. Trop de locutions courantes, trop d'images ou de légendes, issues d'un folklore commun à tous les peuples, attestent cette union, pour qu'il soit besoin d'insister. Sa source remonte sans doute à l'époque où la sensibilité des sphincters, étant encore une de celles qui accaparaient le plus vivement l'enfant, était, en même temps, le champ où se sont affrontés pour la première fois ses besoins et les exigences de son entourage, que souvent accompagnaient des sanctions. Car la discipline de ses mictions et de ses défécations est le premier effort qu'il a dû tourner contre lui-même sous la contrainte d'autrui. Rien de surprenant si ses velléités ultérieures de rébellion évoquent cette association initiale, sous forme plus ou moins symbolique, et si l'humeur d'opposition qui accompagne certains jeux tend à l'utiliser.

Mais une inquiétude de culpabilité se combine habituellement à l'agressivité. Leur source commune est le désir que nourrit l'enfant de se substituer aux adultes ; les impressions dont elle s'alimente lui sont spéciales. Des enfants qui jouent « au papa et à la maman » ou « au mari et à la femme » cherchent évidemment à reproduire les faits et gestes de leurs parents, mais leur curiosité les pousse à vouloir éprouver les motifs intimes de ce qu'ils imitent, et, faute d'en avoir la connaissance, c'est dans leur expérience personnelle qu'ils puisent. Il n'y a pas si longtemps encore que l'objet préféré de leurs explorations était leur propre corps, puis celui d'autrui, selon ce transfert du subjectif à l'objectif et cette recherche de réciprocité qui sont une démarche constante de l'évolution psychique chez l'enfant. Ainsi savent-ils se donner un avant-goût de la sensualité. Il n'est même pas exceptionnel que ces curiosités auto et hétérosomatiques donnent lieu à des pratiques sadicomasochiques que leurs participants tiennent soigneusement occultes, ayant le pressentiment qu'elles seraient censurées. Par là s'approfondit l'opposition de l'enfant à l'adulte et se confirme l'intuition qu'il y a des jeux défendus.

Par contraste, une sorte d'exhibitionnisme souligne ceux qui semblent permis. Le petit enfant veut être vu quand il les pratique et ne cesse de solliciter l'attention de ses parents, de ses aînés. Plus tard, il ne s'y livrera pas sans l'annoncer par de grandes démonstrations gesticulatoires ou vocales. Et enfin, chaque fois qu'il le pourra, il voudra se distinguer par une tenue, des insignes ou un accoutrement de joueur.

Quant aux adultes, il y en a peu, si libres qu'ils soient de leur temps ou de leur personne, qui ne se soient parfois surpris à esquisser un geste furtif pour dissimuler qu'ils jouaient. A certains le jeu peut laisser du remords. Mais chez la plupart, sans doute, c'est le sentiment de la permission qui a fini par l'emporter sur celui de la défense, et il ajoute beaucoup à la joie de jouer. Se permettre le jeu, quand son heure paraît venue, n'est-ce pas se reconnaître digne d'une trêve qui suspend pour un temps les contraintes, obligations, nécessités et disciplines habituelles de l'existence ?

CHAPITRE **6**

LES DISCIPLINES MENTALES

Entre 6 et 7 ans il devient possible de soustraire l'enfant à ses occupations spontanées, pour lui en faire poursuivre d'autres. Naguère le travail productif, et même celui de l'usine, pouvait alors commencer pour lui, comme c'est encore le cas dans certains pays coloniaux. Ici ce sont les disciplines de l'école qui lui deviennent applicables. Elles supposent inévitablement un pouvoir correspondant d'autodiscipline.

L'activité la plus élémentaire ne connaît pas, en effet, d'autre discipline que celle des nécessités extérieures ; elle est sous le contrôle exclusif des circonstances actuelles. En cas d'écart entre une réaction et les exigences de la situation, la conduite change, jusqu'à réaliser un ajustement satisfaisant. C'est ainsi qu'il n'y a pas d'automatisme ou de réflexe, si fixes qu'ils paraissent, qui n'aient été déterminés par des excitants appropriés et qui ne soient modifiables dans la même mesure. Il est arbitraire de distinguer entre les réponses de l'organisme et leurs conditions externes. Mais plus se complique sa structure, et plus elles peuvent se diversifier suivant les circonstances. En même temps que leur différenciation s'accentue, le champ de l'excitation s'amplifie et s'affine. L'excitation élémentaire fait place à un ensemble qui en précise la signification. Les indices complémentaires et discriminateurs de la signification peuvent être des impressions actuelles, mais aussi les vestiges d'impressions et de conduites antérieures. La signification elle-même peut être relative à l'instant présent ou à une éventualité plus ou moins différée, qui implique la prévision. Les buts vont pouvoir ainsi se détacher de la situation présente. Ils sont loin d'ailleurs de puiser leurs motifs uniquement dans le milieu physique. D'inspiration sociale ou idéologique, ils peuvent se trouver en conflit avec la situation matérielle du moment.

Ainsi les disciplines de l'action subissent une sorte d'intériorisation et leur appareil fonctionnel prend une telle complexité que son activité ou, mieux, ses activités diverses peuvent paraître en bien des cas s'exercer indépendamment des circonstances ou pour elles-mêmes. Le jeu, avons-nous vu, répond déjà à l'exercice des fonctions pour elles-mêmes. Quant à l'indépendance à l'égard des circonstances, elle n'est encore que la substitution aux nécessités actuelles de nécessités fondées sur des anticipations ou des conventions. Chez l'enfant, en effet, les fonctions en voie d'émergence s'exercent d'abord sans autre objet qu'elles-mêmes. Mais vient le moment où elles pourront se subordonner à des motifs qui leur sont hétérogènes, alors l'âge du travail s'annonce et quelque chose de neuf surgit dans le comportement.

C'est son inertie qui le caractérise à l'époque des purs exercices fonctionnels. L'enfant est totalement accaparé par ses occupations du moment et n'a sur elles aucun pouvoir ni de changement ni de fixation. Il en résulte deux effets contraires, mais qui peuvent être simultanés : la persévération et l'instabilité. L'activité qui s'est emparée de lui se poursuit fermée sur elle-même, en se répétant ou en s'épuisant dans ses propres détails, mais sans s'étendre à d'autres domaines sinon par digression fortuite ou routinière. Si elle se transforme, c'est par substitution, soit que, vidée de son intérêt par sa monotonie, elle laisse le champ libre à la première venue, soit qu'une liaison accidentelle la fasse s'aliéner totalement dans une autre, soit enfin qu'elle cède soudain devant l'attrait d'une circonstance imprévue, d'une stimulation surprenante ou alléchante. D'où l'aspect contradictoire de l'enfant, alternativement absorbé par ce qu'il fait, au point de paraître étranger, insensible à ce qui l'entoure ; puis accroché par les incidents les plus quelconques et sans aucun souvenir apparent de l'instant qui précédait. Mais, sous une cascade de diversions, un même thème peut persister et se manifester, soit par ses répétitions intermittentes, soit en se mêlant à ceux qui suivent et en les contaminant de façon plus ou moins cohérente.

D'après les observations de Mme Ch. Bühler, de 3 à 4 ans le nombre des distractions au cours d'un même jeu est de 12,4 en moyenne ; entre 5 et 6 ans il n'est plus que 6,4. Serait-ce que le pouvoir de retour à l'occupation initiale est plus grand chez les plus jeunes enfants ? Bien au contraire, la durée du jeu augmente chez les aînés, en même temps que décroît le nombre des distractions. Ce qui est en cause, c'est donc le pouvoir d'y résister. La persistance du thème à travers des distractions plus nombreuses n'en est pas moins à retenir. Elle dénote, à l'opposé d'une puissance active, une puissance d'inertie, dont les effets ne sont pas contrariés, tant s'en faut, par l'instabilité concomitante.

Le sens de cette évolution est mis en évidence par une autre qui lui est en partie connexe. En même temps que la durée des jeux augmente, Ch. Bühler remarque que les motifs d'intérêt ou de jouissance auxquels l'enfant réagit ont de moins en moins besoin d'appartenir à des circonstances actuelles. Et ce progrès lui-même présente des degrés. Léontiev note que si l'enfant de 8 à 9 ans est capable de poursuivre des buts plus ou moins éloignés, c'est à condition d'être soutenu par des stimulants sensoriels qui jalonnent son effort de symboles concrets. Ils cessent petit à petit d'être indispensables entre 10 et 13 ans. Simultanément se développe l'aptitude à la réflexion abstraite. Vont ainsi de pair la diminution concomitante de la persévération et de l'instabilité, l'aptitude à poursuivre plus longtemps une même activité, la moindre dépendance à l'égard de l'actuel et du concret, l'emploi de symboles qui ouvrent l'accès à une pensée plus capable d'abstraction.

Les causes de l'instabilité mentale propre à l'enfant sont diverses. Il n'a d'abord qu'un pouvoir d'accommodation inconsistant, imprécis et labile. S'il s'agit d'actes moteurs, la mise en forme tonique, qui les amorce et en accompagne le développement, reste souvent diffuse, discontinue, défaillante devant l'obstacle ou l'effort soutenu. L'accommodation perceptive se relâche vite, suit mal l'objet dans ses variations et se raccroche de l'un à l'autre. Les attitudes, qui sont le support visible des intentions, des dispositions devenues imminentes, ne savent pas se maintenir et peuvent se transformer instantanément. A ces dérobements peuvent contribuer des phases de relâchement qui répondent à certains rythmes fonctionnels, dont les répercussions sur le comportement sont beaucoup plus sensibles chez l'enfant que chez l'adulte. Comment le cours des représentations et de la conduite ne serait-il pas affecté, lui aussi, par ces intermittences et ces trébuchements ?

D'autres facteurs interviennent encore, qui déplacent sans cesse l'intérêt de l'enfant, ainsi l'incontinence de ses réactions quand surgit un stimulant approprié. Pas de suite dans l'orientation psychique ni même dans l'exécution de l'acte le plus simple, alors que toute excitation sensorielle suscite le réflexe correspondant, tout incident un sursaut de curiosité, tout changement un sentiment nouveau. A des degrés divers, tel est le cas chez les jeunes enfants. Sans doute des périodes réfractaires où ils paraissent, au contraire, absents et inaccessibles, alternent avec ces périodes d'*hyperprosexie*. Mais cela ne fait que mieux marquer le manque d'unité des influences qui se partagent encore leur conduite. Elles se font obstacle, au lieu d'être coordonnées entre elles et, s'il est besoin, suspendues ou réprimées. A l'activité extéroceptive vient soudain se substituer totalement une sorte de rumination intéroceptive, comme en d'autres moments un geste purement occasionnel à l'immobilité qu'exigerait un effort concentré d'observation.

Si chaque impression qui se produit à la périphérie de la rétine provoquait le réflexe des globes oculaires qui doit l'amener sur la fovéa, la vision serait comme affolée entre de perpétuels vacillements. C'est à tous les étages et dans tous les domaines de l'activité nerveuse qu'il y a contrôle des réactions correspondantes par des instances supérieures et, suivant l'opportunité, utilisation ou inhibition. Mais cet édifice de disciplines ne peut se réaliser que très graduellement chez l'enfant, car il exige à la fois l'achèvement des structures anatomiques et l'apprentissage des effets qui peuvent en être tirés. D'où la disparition très lente chez l'enfant de son instabilité et de son activité disparate.

Mais, en regard des incitations extérieures qui suscitent et entretiennent les relations concrètes avec l'ambiance, les mouvements et les actes qui en résultent ont aussi leur régulation propre. Ils se développent et s'enchaînent selon des rythmes plus ou moins apparents, dont le degré le plus élémentaire paraît être le simple retour d'éléments semblables. Certaines lésions du système nerveux, qui semblent détruire les connexions de centres situés dans les régions sous-corticales du cerveau, ont pour effet d'entraîner la répétion incoercible, jusqu'à épuisement graduel, du même geste, du même mot ou de la même syllabe, comme s'ils ne pouvaient être suspendus sans l'intervention active de fonctions frénatrices. C'est ce qui a été appelé *palicinésie* et *palilalie*. L'itération, la prolongation, la persévération auraient donc quelque chose d'automatique. Bien qu'ayant des effets contraires à l'instabilité causée par des stimulations externes, leur réduction aussi suppose des pouvoirs inhibiteurs. Il en est de même pour des actes où la simple répétition fait place à la routine et qui ne peuvent, une fois commencés, que s'achever, quand bien même ils sont visiblement contraires au désir du sujet et vont jusqu'à lui causer une sorte d'exaspération. Le fait s'observe chez le petit enfant ; il est facile d'en obtenir la vérification chez le chien, en lui faisant reproduire jusqu'à provoquer sa fureur, mais inévitablement, le même acte à l'aide du même signal. Il se retrouve d'ailleurs aux différents niveaux de l'activité psychique et peut servir à mesurer le pouvoir de contrôle sur les automatismes et la maîtrise de soi. C'est encore là une acquisition qui ne s'opère qu'avec l'âge ; ses résultats sont susceptibles de beaucoup varier suivant les individus.

L'inhibition joue encore pour supprimer ce qu'il peut y avoir d'inutile dans un acte, pour sélectionner les gestes qui s'ajustent à son but. Tout mouvement est primitivement généralisé, global. Sans doute sa localisation et sa spécialisation graduelles ont-elles pour condition fondamentale la maturation graduelle des centres nerveux. Mais l'apprentissage y est aussi nécessaire. Banal et spontané pour les actes courants, il peut exiger des essais assidus et des contraintes pénibles pour les gestes techniques. La discrimination peut aussi opérer sur le plan mental. On sait que Pavlov explique la différenciation des réflexes conditionnels par des zones d'excitation et d'inhibition qui se délimiteraient réciproquement dans l'écorce cérébrale. Plus spécial devient l'excitant, et plus s'étendrait la zone d'inhibition aux dépens de la zone excitée. La difficulté de créer le réflexe augmente avec la sélectivité de l'excitant, c'est-à-dire avec le rétrécissement de son siège. Entre un simple son de cloche et un timbre ou une hauteur déterminés du son, il y a une marge que l'animal parcourt avec une peine croissante. C'est à un procès analogue de discrimination, fondée sur l'inhibition de ce qui n'appartient pas spécifiquement au thème actuel de la pensée, que doit être due la réduction progressive des diffluences qui s'observent dans les manifestations intellectuelles de l'enfant. Longtemps il ne sait pas dégager des circonstances parasites le trait qui seul importe à la situation présente. Longtemps il donne le spectacle comme de courts-circuits entre la veine où il est engagé et une image ou une idée proches, proximité d'ailleurs dont la justification peut échapper à l'esprit de l'adulte.

Ainsi la contamination n'est pas seulement d'un thème antérieur avec ce qui suit, mais aussi entre tout ce qu'il peut appartenir à une opération mentale d'activer simultanément. Une délimitation doit se faire entre ce qui convient et ce qui ne convient pas. Elle est plus ou moins rigoureuse, plus ou moins sûre et stable, mais elle serait impossible sans l'emploi de certains repères fixes. Car pour opposer l'actuelle intention à l'acte mental qui tend à se continuer inutilement, pour distinguer dans ce qui tend à s'actualiser la fraction opportune et elle seule, pour confronter avec les impressions présentes des objets qui ne le sont pas et pour remplacer, au besoin, les unes par les autres, il est besoin de supports ou de substituts, autrement dit d'instruments symboliques, qu'ils soient images, signes ou mots. Sans doute ils ne sont pas ce qui définit la pensée, mais ils sont les seuls moyens par lesquels elle puisse se définir et se garder contre les adultérations ou les confusions. Voilà pourquoi il y a concomitance entre sa résistance à la persévération ou à l'instabilité, sa moindre dépendance vis-à-vis de l'actuel et du concret, sa plus grande rigueur ou continuité d'orientation et les progrès de la représentation symbolique.

***

Aux disciplines qui règlent l'action selon ses formes et ses niveaux, le langage commun et celui de la psychologie ont coutume de superposer « l'attention » comme un pouvoir capable de leur donner l'efficacité désirable. C'est ce mot d' « attention ! » qui entre communément dans les avertissements, dans les exhortations ou les ordres, pour mobiliser au maximum les énergies, pour prévenir une défaillance possible ou reprendre une erreur effective. Est-il surprenant que la théorie ait cherché à lui donner un contenu définissable ? Mais trop souvent la définition a été purement tautologique ou anthropomorphique. Ainsi, lorsque la tentative pour exprimer ce que l'attention peut ajouter aux effets de l'activité mentale a pour résultat de faire rejeter tour à tour comme insuffisamment adéquates les notions de plus grande intensité, plus grande clarté, plus grande fixité et de faire adopter celle « d'attentivité ». Ou bien quand l'attention est identifiée à un pouvoir capable d'intervenir chaque fois qu'il est besoin et de la façon nécessaire.

Ce qui peut sembler le plus immédiatement impliqué dans

l'attention, tout au moins dans l'attention « volontaire », c'est le fait de l'effort. Mais lui aussi doit être défini. On sait le rôle qu'il joue dans une philosophie comme celle de Maine de Biran. Il est ce qui traduit l'opposition du Moi aux réalités extérieures et étrangères ; il est sa réalisation et sa prise de conscience effectives. Il ne peut être que d'origine centrale. S'il lui arrive de mobiliser des énergies physiologiques, il ne relève pas d'elles, mais leur est, pourrait-on dire, antérieur. Sa source se confondrait avec ce qu'il y a de plus intime dans l'être psychique.

Cette hypothèse pourtant est démentie par l'expérience. L'effort est observable dans un simple muscle détaché de ses connexions nerveuses : la contraction qu'y provoque une décharge électrique est d'autant plus violente qu'elle rencontre une plus forte résistance. Dans d'autres cas, la mœlle est la seule région du système nerveux qu'il intéresse : par exemple, quand augmente brusquement la résistance rencontrée pour élever un poids, son temps de latence ne dépasse pas celui d'un réflexe médullaire (Piéron). Un acte qui exige l'intervention de centres nerveux plus haut situés ne surmontera évidemment l'obstacle qu'avec la participation de ces centres. Et ainsi l'effort va s'élever d'étages en étages jusqu'à ceux de l'activité intellectuelle. S'il n'est jamais dépouillé de toute manifestation somatique, c'est évidemment parce qu'il n'y a pas d'action, même abstraite, qui soit étrangère aux réactions corporelles. L'immobilité dont peut s'accompagner la méditation mentale est le résultat d'une inhibition souvent intense sur les centres d'où pourraient surgir des diversions motrices, sensorielles, idéatives, et qui sont le siège d'une résistance d'autant plus redoutable que la réflexion devient plus ardue. Mais l'inhibition est loin de supprimer toute manifestation physique. La méditation s'accompagne de modifications circulatoires, respiratoires et aussi de tensions musculaires qui se traduisent par des changements de mimique, d'attitudes, par des gestes, dont la succession ne fait pas, sans doute, que refléter le cours des pensées, mais supporte en quelque sorte son rythme, ses changements de direction, ses moments de concentration, de pause, ses rebondissements.

Loin d'être centrifuge, l'effort doit son intensité aux difficultés que l'objet ou la tâche imposent à la fonction. Il serait vain d'ailleurs d'opposer à la théorie centrale une théorie périphérique. Les manifestations et les conditions de l'effort peuvent sembler plus périphériques ou plus centrales suivant la nature de la tâche. Mais, étant l'accroissement de dépense que l'objet peut exiger de la fonction pour qu'elle reste efficace, ce qu'il représente, c'est un équilibre, un rapport entre ces deux termes, sans prépondérance ou priorité de l'un sur l'autre.

Suivant la formule de J.-B. Morgan, « l'effort consiste en une réponse immédiate à un stimulus d'échec ». L'échec peut ou non être surmonté. L'effort offre donc un risque, qui peut ne pas être sans influence sur le développement fonctionnel de l'enfant. En stimulant la fonction, il aide à sa croissance, mais en la menant à l'échec il entraîne vite la méfiance de soi, qui peut se traduire ou par le désintérêt du cancre ou par un sentiment d'infériorité. Quânt à ceux qui préconisent l'effort pour lui-même, ils paraissent les victimes d'un complexe qui rappelle assez, par sa projection sur autrui, celui que les psychanalystes dénomment complexe de castration, où la hantise de l'impuissance personnelle entraîne habituellement la volonté d'impuissance pour les autres. Il pourrait ainsi se transmettre dans certaines familles de parents à enfants (Louba). A l'école, il n'est pas non plus sans danger.

Chez l'enfant, la capacité d'effort se développe à partir des actes qui intéressent les centres les plus bas situés ; elle est beaucoup plus tardive et reste longtemps précaire quand ils mettent en cause des fonctions plus élevées, en particulier celles qui ont pour soutien nécessaire les attitudes, dont la consistance ne s'affirme que lentement, et celles où l'inhibition devient prépondérante. Les manifestations de l'effort sont d'abord sporadiques et capricieuses. Comme il est habituel aux premiers débuts d'une fonction, son déterminisme ne paraît pas être rigoureux et constant ; ses excitants normaux, en effet, peuvent à certains moments ne pas le provoquer, sans doute parce que le système de ses conditions suffisantes est encore plus ou moins affaire de circonstances. Il peut aussi comme s'isoler dans l'ensemble du comportement. Certains de ses déclanchements localisés, momentanément irréductibles, d'apparence illogique, rappellent les réactions butées et hermétiques qui s'observent dans la démence précoce, ou *schizophrénie*. L'indispensable dynamisme des liaisons fonctionnelles, que la maladie compromet ou abolit, est encore intermittent chez l'enfant.

***

L'attention aurait encore le pouvoir de distribuer l'activité psychique sur ses objectifs et aussi dans le temps.

A l'égard du contenu mental elle pourrait produire deux effets contraires. Soit le ramener à un seul et même objet, maintenu, tant qu'elle dure, à l'exclusion de tout autre, dans le champ des opérations en cours. Soit ouvrir ce champ à des objets ou incitations multiples et même éventuels. Il s'agit, dans le premier cas, de ce que Ribot appelait *monoïdéisme* et qu'on décrit aujourd'hui comme focalisation de la conscience ; dans le second cas, des attentions dites distribuée, papillonnante, alternante, expectante, etc. Ces modes variés d'activité psychique répondent bien à des aptitudes ou ensembles d'aptitudes diversement répartis suivant les individus, à un entraînement fonctionnel divergent et, chez le même individu, à des attitudes mentales opposées. Néanmoins la contradiction n'est pas entre deux formes brutes d'activité, qui n'auraient rien de commun, mais entre les exigences, entre les structures d'actions différemment orientées.

Comme on l'a fait depuis longtemps remarquer, il n'y a pas, il ne peut pas y avoir monoïdéisme quand l'esprit travaille. Si restreint que puisse paraître objectivement son champ d'opérations, les aperçus et les points de vue s'y renouvellent nécessairement tant que son activité dure. Ce renouvellement ne peut faire autrement que d'exiger l'évocation d'éléments ou d'idées étrangers au premier contenu de la conscience, ou, mieux, aux premières constellations qui combinaient avec les données du problème tout ce qui semblait pouvoir en préparer la solution. Par modification réciproque de ces données initiales et du matériel qui répond, de sources diverses, à leur appel, les constellations évoluent. Mais, tout en recrutant et en assimilant observations, réminiscences, réflexions, elles restent fermées, en ce sens qu'elles ne se laissent pas mêler de motifs, de quelque origine soient-ils, sensorielle ou idéative, qui ne paraîtraient pas se subordonner à l'action dont elles sont les effets mouvants, ou qui risqueraient de la supplanter.

Dans les formes d'activité à objets ou à thèmes multiples, on pourrait croire qu'ils ne font que se juxtaposer ou alterner. En réalité, leur indépendance mutuelle n'est qu'apparente. Mais, s'il y a constellation, c'est une constellation ouverte. Soit « l'attention distribuée » du wattman, son champ paraît se dilater autant qu'il se peut, et, malgré l'automatisation qui tend à unifier les manœuvres courantes de la conduite, il y a trop d'impressions imprévues et souvent simultanées qui ont leur signification propre, ou même qui n'en ont pas d'utile, pour qu'elles puissent fusionner. Il importe, au contraire, qu'elles soient bien discernées entre elles ; l'effort est donc de discrimination et de sélection. Pourtant leur signification, si diverse soit-elle pour chacune, est puisée à la même source, qui est le souci de conduire en évitant les accidents ; et c'est à un ensemble bien lié d'automatismes peu nombreux qu'aboutissent leurs indications. L'action groupe donc toujours en constellations appropriées les circonstances qui lui sont utiles, mais la nature de la tâche exige ici qu'au lieu de se constituer, comme en circuit clos, par l'évocation exclusive d'éléments bien sélectionnés, les constellations soient l'effet d'une réceptivité tendue vers tout l'imprévu.

Soit encore « l'attention papillonnante » propre au portier d'hôtel. Dans ce cas, les tâches peuvent être aussi variées que les impressions recueillies, et l'activité ira s'éparpillant en besognes toutes diverses entre elles. Cependant elles ne doivent pas suspendre un instant l'aptitude à veiller sur tout ce qui peut se produire. Et c'est de là que ces occupations disparates reçoivent leur unité. Elles sont chacune limitées et contrôlées dans leur développement par l'obligation qui les gouverne toutes : parer à tout, répondre à tous. Il s'agit encore là de constellations ouvertes, mais avec enchevêtrement ou alternance des répliques que peuvent exiger simultanément des éventualités de toutes sortes.

Est-il besoin de signaler le lent et parfois pénible apprentissage que l'enfant devra faire de ces disciplines ? S'il lui arrive bien d'être totalement absorbé dans son occupation du moment et, par suite, comme insensibilisé à ce qui n'est pas elle, il ne saurait pourtant être question de focalisation active. Car il lui arrive aussi d'en être totalement détourné par un incident quelconque ou par son brusque désintérêt. Il manque à sa concentration une zone marginale, à la fois de protection ou d'alerte et de liaison latente avec d'autres activités, qui de concurrentes pourraient éventuellement devenir concourantes. Rien ne lui permet de situer l'actuelle parmi les autres, ni, par conséquent, de les substituer entre elles à dessein. Les exigences de l'école, si mal supportées parfois, montrent les difficiles progrès de la focalisation chez l'enfant. Avec quelle peine devient-il capable de s'arracher à ce qu'il fait pour s'accommoder à une autre tâche et pour s'y consacrer exclusivement, sans la mêler d'éléments étrangers. C'est par degrés très lents qu'il cesse d'être réfractaire aux tâches imposées.

Ses mines éveillées, qui semblent le montrer prêt à tout saisir des moindres incidents surgissant autour de lui, ne doivent pas non plus faire illusion. C'est là un éparpillement véritable, sans vigilance proprement dite. L'occasion seule décide des réactions ; entre elles il n'y a ni orientation, ni attitude communes, et elles sont la négation d'une conduite, si peu définie qu'on la veuille. Les conditions actuelles du travail scolaire ne donnent que rarement le moyen d'exercer cette réceptivité indéfiniment ouverte et de vérifier dans quelle mesure elle peut être dirigée. Les jeux y suppléent. Mais ils montrent combien longtemps reste bornée l'assimilation de l'imprévu par une activité qui ne lâcherait pas son but. L'imprévu assimilable n'est d'abord que du connu, de l'attendu, simplement entremêlé de feintes : tels ces divertissements que si souvent sollicitent les petits enfants, lorsqu'ils font mine d'éviter une tape et que, l'adulte répondant à leurs agaceries, ils cherchent à prévoir parmi ses menaces, les simulées et les vraies. L'excitation que leur causent ces essais de prévision peut se mesurer à leurs cascades de rire. Un peu plus tard, ils jouent à cache-cache : ils doivent, au signal convenu, exercer leur vigilance à l'égard de toutes les cachettes, repérées ou non, d'où peuvent soudain surgir leurs jeunes partenaires. La signification fonctionnelle de cet amusement ressort bien des erreurs commises par les enfants trop jeunes ou par les débutants, qui se lancent successivement à la poursuite de quiconque apparaît, au lieu de garder le but, c'est-à-dire qu'ils ne savent pas encore subordonner chaque impulsion particulière de défense à l'objectif essentiel de la partie et à la vision totale de ses péripéties possibles.

Il est sans doute en partie artificiel de distinguer entre la distribution de l'activité psychique sur ses objectifs et dans le temps. La résistance aux distractions ou diversions possibles, pendant toute la durée de la tâche, ne serait pas possible sans un pouvoir de liaison, plus ou moins développé suivant les espèces ou les individus, entre les moments successifs d'une même action. Quels qu'en soient le substrat ou, mieux sans doute, les substrats élémentaires, — rythmes, par exemple, à racines physiologiques et à frondaisons affectives ou mnésiques, consignes dynamiques à base d'attitudes effectives ou conditionnelles, — cette liaison est une anticipation sur ce qui sera, plus ou moins à la manière d'une mesure musicale. D'autre part, l'orientation expectante des constellations ouvertes, qui sont tournées vers ce qui peut, vers ce qui va venir, suppose l'avenir. Un avenir qui n'est pas inclus dans le développement d'un automatisme ou l'aspiration d'un désir, mais qui leur impose, au contraire, une suspension, une attente, une incertitude, et qui oppose au temps intime les éventualités imprévues du temps externe.

Néanmoins, bien qu'impliqué, sous ces deux formes essentielles de durée vécue et d'imminence étrangère, dans les actes de concentration et de vigilance, le temps n'est pas encore ici ce qui règle leur distribution. Or il y a des cas où c'est lui qui impose sa discipline. Par exemple dans l'activité différée et dans l'activité conditionnelle : l'ajournement portant, pour le premier cas, sur la réaction elle-même et, pour le second, sur la satisfaction ou la réalisation qui sont les buts de l'action.

L'action différée comporte bien des degrés et utilise, sans doute, à chacun, des moyens qui ne sont pas nécessairement identiques. Elle a été étudiée comparativement chez l'animal et chez l'enfant. Pour l'obtenir chez l'animal, W. S. Hunter a mis en œuvre, avec des rats, des ratons et des fox-terriers, le besoin de liberté et l'évitement d'impressions désagréables : l'animal est maintenu dans un compartiment à trois issues, dont l'une lui permet de sortir et les deux autres lui valent une décharge électrique ; la première est signalée par une lampe qui s'allume un instant ; après quoi l'animal est empêché de réagir pendant un temps-délai qui est mesuré. Avec des chiens, A. C. Walton a employé la faim, l'animal ayant à choisir entre deux, trois et même quatre compartiments, dont celui qui est signalé par l'allumage d'une lampe contient des aliments. Les résultats offrent toujours une certaine irrégularité ; elle diminue si l'animal est plus affamé ; s'il l'est moins, il se décourage plus vite.

Avec une petite fille entre 13 et 16 mois, qui ne parle pas encore, mais chez qui se font jour certaines expressions vocales, W. S. Hunter lui met un objet dans la main, le reprend, le dépose dans une des trois boîtes à couvercle qui sont alignées devant elle et, après lui avoir couvert les yeux un temps variable, relève le nombre de fois qu'elle va du premier coup à la boîte où se trouve l'objet. Autre épreuve avec des enfants de 2 ans et demi, de 6 et de 8 ans : il leur donne la consigne d'aller appuyer sur un bouton près d'une lampe qui a brillé un instant ; la première fois, l'enfant part avant que la lampe ne soit éteinte, puis les délais sont augmentés.

Ces expériences ont mis en évidence des écarts considérables entre les espèces animales et de l'enfant à l'égard de l'animal. Le délai maximum est de 10 secondes pour le rat, de 25 pour le raton, de 5 minutes pour le chien, de 25 pour l'enfant. Dans l'épreuve où l'enfant de 13 à 16 mois doit choisir la boîte contenant une friandise, le nombre des erreurs équilibre à peu près celui des réussites après un délai de 13 à 17 secondes et, un mois plus tard, après un délai de 25 secondes. Le plus grand pourcentage de choix corrects est, dans la première série, de 88 après 3 à 7 secondes et, dans la seconde série, de 82 après 8 à 12 secondes. Chez l'enfant, l'âge entraîne donc un progrès très rapide.

Cependant il n'est pas difficile de constater combien l'équivalence de ces épreuves ne doit être qu'approximative. Dans le cas des animaux et de l'enfant qui ne parle pas encore, ce sont des tendances, négatives ou positives, qui sont activées, et le résultat doit être un choix. Pour les enfants de 2 ans et demi à 8, l'épreuve est une simple consigne et n'a guère d'intérêt intrinsèque. Même pour des réactions vraiment analogues le mécanisme ne paraît pas uniforme. W. S. Hunter attirait l'attention sur l'attitude de l'animal et son orientation au départ. Le maintien de l'attitude pendant tout le délai expliquerait la réaction différée. Mais, dans ses expériences sur le chien, A. C. Walton s'est appliqué à modifier l'attitude de l'animal pendant le délai par des appels, des coups de sifflet, la présentation d'un morceau de viande, et la proportion des choix corrects n'en a pas été modifiée. Cependant, selon Hunter, c'est bien l'attitude conservée qui serait en cause chez le raton. Il faut, au contraire, admettre l'intervention d'un facteur interne chez le rat, le chien, l'enfant. D'ordre kinesthésique lui aussi, ce facteur non visible serait assimilable, chez l'enfant du moins, à une forme première du langage, à un langage non vocal. Bien que cette appellation de « langage » ne paraisse guère convenir quand le fait primitif n'est pas échange, mais impression intime, il n'est pas douteux qu'en effet un mouvement exécuté ne laisse survivre quelque chose de lui-même qui lui permette d'être répété ou seulement réimaginé et qu'inversement un mouvement imaginé et qui a été plus ou moins ébauché dans une intention, dans une attitude, ne puisse se survivre quelque temps à l'état latent. C'est un fait d'expérience quotidienne que ce pouvoir de retrouver mentalement les traces motrices et spatiales d'actes antérieurement accomplis sans y avoir prêté une attention particulière. Non moins fréquent, le fait d'éprouver la présence latente d'un mouvement qui a été imaginé sans être exécuté et qui reste sensible sous l'actuelle activité, comme une sorte de vibration plus ou moins impérieuse, plus ou moins importune.

Mais la réaction différée de ces expériences garde quelque chose de très élémentaire encore. Au lieu d'une contrainte mécanique comme ici, l'obstacle à la réalisation immédiate peut être, en effet, une inhibition psycho-physiologique, et la période de latence peut dépasser de beaucoup celle où l'acte en puissance continue d'être senti. Souvent il paraît tout à fait oublié, et il lui faudra une circonstance propice, une circonstance-signal pour se réaliser. Il arrive même que cette circonstance soit associée d'emblée à sa formulation mentale, qu'elle en soit comme l'indice essentiel, devant lequel pourrait même s'abolir le souvenir du moment où la formulation s'est faite. La simple réaction différée devient alors réaction à terme.

Ces réactions à longue échéance, sans souvenir de la consigne reçue, ont été un des exercices préférés que les hypnotiseurs faisaient exécuter à leurs sujets. La question s'est même posée de l'irresponsabilité qui pouvait s'attacher à des actes dont leur auteur avait reçu l'ordre en état d'hypnose. Malheureusement, il est difficile de reconnaître une valeur expérimentale à l'hypnotisme, où tant de supercheries se sont mêlées à tant de naïvetés. La suggestion à terme a pourtant été utilisée, non sans résultat, avec des jeunes enfants, en particulier dans les cas d'énurésie nocturne. Elle a évidemment alors pour but de faire que les sensations sphinctériennes qui préludent à la miction deviennent un signal suffisant pour lever l'obstacle que l'engourdissement du sommeil oppose aux fonctions motrices. Il s'agit sans doute de sensibiliser le circuit correspondant et de constituer ainsi une de ces vigilances partielles dont il arrive de reconnaître la persistance chez celui qui dort. Assurément, ces vigilances peuvent tendre à l'automatisme, mais l'automatisme a vite fait de s'abolir si leur motif psychique disparaît. Elles constituent des conduites véritables au service soit de consignes, soit d'intérêts plus spontanés.

C'est l'existence d'un signal, et non la mesure de la durée comme telle, qui peut rendre compte des réactions à terme. Des expériences sur l'intuition de la durée pure [1] nous ont en effet montré qu'elle reste des plus imprécises à tous les âges de l'enfance, même lorsqu'elle n'excède pas quelques secondes. Encore semble-t-il que chercher à l'apprécier consiste à lui donner un certain contenu et, au-delà d'un délai très court, ce contenu devient inopérant. Mais, si le seul procédé efficace est que l'échéance soit marquée par une circonstance ou une impression donnée, cette condition ne paraît pas suffisante, car elle est très précoce : l'étude des animaux et celle des plus jeunes enfants montrent que de lier une réaction utile ou exprimant des besoins essentiels à une incitation qui s'est trouvée concomitante de sa stimulation spécifique est un fait d'ordre extrêmement général et primitif, dont l'apparition précède de loin celle des réactions à terme. C'est cette liaison qui règle l'anticipation de la réaction sur l'événement pleinement réalisé, dont le rôle est si grand dans les rapports de l'individu avec le milieu. Elle est fondée sur une simple rencontre, parfois toute fortuite, de circonstances, et son mécanisme n'est pas assimilable à l'organisation des conduites qui s'observent seulement à partir de l'âge où peut commencer la scolarité.

La liaison entre le signal et l'acte présuppose alors un ordre, un choix, un sentiment de valeurs, qui peuvent être de niveau variable, qui peuvent se heurter plus ou moins à des résistances et donner à des degrés divers l'impression de la contrainte ou de l'adhésion, mais qui exigent une solidarité tant soit peu cohérente, tant soit peu extensive entre les moments et entre les motifs de la vie psychique. Le signal peut être d'espèce intime : soit qu'il se borne à souligner que telle activité sera

---

1. Recherches entreprises avec la collaboration de Mme Cemielnitzki, dont les résultats seront publiés ultérieurement.

suivie de telle autre, mais avec un certain caractère d'obligation, soit qu'il réponde à des impératifs ou à des indications de la sensibilité affective. Il peut aussi s'identifier à des événements, à des conjonctures extérieurs. A ces rapports encore concrets, qui subordonnent étroitement l'action aux circonstances vécues, il est pourtant indispensable que le langage vienne ajouter ou substituer des rapports moins personnels, plus objectifs, plus librement évocables. Les repères qu'il offre à l'action sur les seuls qui la rendent capable de s'accorder avec les cadres chronologiques d'élaboration sociale, et de préméditer, de réaliser des synchronismes ou des successions qui ne soient pas simplement donnés et imposés par le cours des choses. Il lui sert enfin d'intermédiaire avec les motivations diverses qu'elle peut recevoir de la société. En fait, l'activité de l'enfant cesse alors petit à petit d'être exclusivement dominée par les occupations ou les sollicitations de l'instant présent. Elle peut comporter des ajournements, des réserves relatives à l'avenir, des projets.

***

L'activité conditionnelle est un autre aspect de cette complication croissante. Ce n'est pas dans les réflexes du même nom qu'elle a ses origines, car ils n'ont pas d'autre effet que de transférer l'efficicence spécifique de certaines incitations à d'autres, jusque-là quelconques. C'est plutôt le « détour » qui serait sa forme élémentaire. Mais, entre sa forme élémentaire, qui peut déjà s'observer chez l'animal, et ses degrés ultérieurs, il n'y a pas nécessairement identité de facteurs. Elle peut en exiger de nouveaux quand augmentent sa portée et sa complexité.

On sait par des expériences déjà nombreuses qu'à moins de routines antérieurement acquises, l'aptitude à s'écarter de l'objet convoité ou à l'écarter de soi, pour tourner l'obstacle, se rencontre seulement au sommet de l'échelle animale, chez les anthropoïdes. S'éloigner provisoirement du but, afin de l'atteindre, ne serait pas concevable sans une liaison étroite et une sorte d'unité pragmatique entre ces deux actes, de direction momentanément contraire. A la manière dont le fait se produit, il semble que cette liaison soit d'ordre spatial, que cette unité soit celle d'une constellation, d'une « structure » perceptivo-motrice qui surgirait entre l'animal et sa proie, en lui faisant saisir, sous la pression de son désir, la topographie des gestes qui lui en donneront la possession. Intuition globale et simultanée de positions que l'acte, en s'exécutant, devra rendre successives.

Deux conditions semblent donc requises, qui sans doute se confondent : le pouvoir de grouper, en fonction de l'objet, l'ensemble des positions qui peuvent y mener ou permettent de l'amener à soi ; et celui de les parcourir chacune à son tour sans en oublier l'ensemble ni le but. C'est évidemment dans le champ visuel que se tracent les constellations. Mais le champ visuel n'est qu'une abstraction, si nous en séparons les mouvements de la tête et des yeux par lesquels il ne cesse d'être exploré, ou même si nous en distinguons les gestes utiles qui sont la perpétuelle conséquence des impressions visuelles. Sur le plan de la vie concrète et de l'action élémentaire, les unités ne sont pas sensorielles ou motrices, ce sont des unités sensori-motrices. Il n'y a pas d'impressions sensorielles qui se produisent pour elles-mêmes, sans accompagnement d'attitudes ou de mouvements, c'est-à-dire de réactions appropriées. Ce sont ces unités sensori-motrices qui servent de point de départ ou d'éléments pour des combinaisons qui deviennent progressivement plus vastes et en même temps plus modifiables selon les circonstances. C'est sur elles que porte le pouvoir constellant de l'animal. La succession des mouvements exige seulement une constellation correspondante, et son maintien tout le temps nécessaire.

L'envergure de ce pouvoir change avec l'espèce, la race, les individus et, dans une certaine mesure peut-être, avec l'entraînement ou l'apprentissage. Il se développe chez l'enfant avec l'âge. Mais, réduit à lui-même, ses limites restent étroites, car sa capacité ne peut dépasser celle d'une intuition en quelque sorte instantanée et purement concrète. Elle n'est dépassée qu'au moment où la parole fait son apparition. Alors la différence de comportement entre l'enfant et le singe le plus intelligent se marque nettement et ne cesse plus de s'accentuer. Sans doute n'est-ce pas d'abord le langage qui est la cause de cette rapide évolution. Il est plutôt lui-même le résultat d'un changement qui s'opère dans plusieurs domaines à la fois. Ses altérations ou son abolition chez l'aphasique s'accompagnent, en effet, d'autres désordres, qu'il paraît difficile d'expliquer par la disparition du langage intérieur, car ils semblent relever de conditions plus primitives, d'où le langage dépendrait lui-même. Il s'agit en particulier de l'impuissance, non pas à identifier les positions réellement occupées par les objets dans l'espace, mais à en réaliser de semblables, même avec le modèle sous les yeux, comme si l'espace en puissance dans nos actes était d'un niveau supérieur à l'espace attesté par les simples impressions ou réactions sensori-motrices.

C'est du premier que paraît dépendre de proche en proche, à chaque fois s'ajoutant des conditions nouvelles, la réalisation d'un ordre quelconque : ordre d'une série, et aussi ordre des syllabes dans le mot, des mots dans la proposition, des propositions dans la phrase. L'aphasique ne sait plus maîtriser cet ordre, l'enfant en apprend lentement l'usage, du plus simple au plus complexe : mot à syllabe géminée, mot-phrase, phrase à mots simplement juxtaposés, proposition-phrase, phrase à syntaxe complexe et à propositions diversement coordonnées entre elles. Une simple intuition initiale des rapports ne suffit plus. Ici encore, il faut une constellation ouverte. Elle s'ouvre non plus sur l'imprévu, mais sur ses propres développements, dont la conduite peut présenter des difficultés, car ils doivent, chacun à son rang, comme s'inventer successivement eux-mêmes, sans rompre le fil de l'ensemble.

La conduite de l'enfant montre des progrès parallèles. Au lieu de se suivre par simple juxtaposition, ses actes s'ordonnent et se combinent, pour concourir tous ensemble à des résultats dont ils sont les moyens, sans en tirer chacun de bénéfice. Mais leur enchaînement n'est bientôt plus possible sans l'évocation de circonstances inactuelles et sans raisonnements plus ou moins implicites, qui supposent des substituts-images ou mots et des discours intérieurs, c'est-à-dire le langage. En même temps l'action conditionnelle est semée de situations où elle doit se mêler à celle d'autrui. Elle ne peut essayer de se l'assimiler que par une sorte de conversation où sont comparés les points de vue. Ces délibérations, cette casuistique de l'action exigent le langage, dont le rôle peut devenir encore plus prépondérant. Car il lui arrive à la longue de prendre l'apparence d'une raison suffisante. Un acte peut chercher sa justification dans une simple formule, indépendamment de toute satisfaction, de tout intérêt actuels ou à venir. On sait combien l'enfant de 6 à 8 ans peut être sentencieux et combien le sont aussi ceux dont la vie morale est simple. Assurément, la sentence, si prégnante que soit la formule dont elle s'enveloppe, ne tire pas sa force uniquement du langage. Elle fait de l'acte, non plus le moyen de certaines réalisations utilitaires, mais celui d'un certain conformisme. L'action reste conditionnelle, parce qu'elle tire sa valeur, non d'elle-même, mais de l'accord avec une sagesse superindividuelle dont elle est l'instrument. Munie de cette toute-puissante investiture, dont la source peut d'ailleurs échapper à celui qui s'y soumet, la formule verbale joue un grand rôle dans l'élaboration des conduites abstraites qui viennent graduellement se mêler ou se substituer aux conduites immédiatement motivées de l'enfant.

Au-dessus de l'action qui répond à l'intuition simultanée du but et des moyens, au-dessus de la simple obéissance et de la simple suggestion où la liaison est immédiate encore entre l'incitation et l'acte, la dépendance habituelle, essentielle où est l'enfant vis-à-vis de son entourage fait que s'édifient des conduites dont les termes successifs sont distincts et discontinus entre eux. Si l'action peut s'y distribuer sans se rompre, c'est bien, semble-t-il, par suite de certaines dispositions psychiques qui, en même temps, rendent le langage possible. Mais d'effet le langage ne tarde pas à devenir facteur. C'est, d'ailleurs, très souvent que, dans l'évolution mentale, la causalité se transfère ainsi, ou se partage, ou devient réciproque. En particulier, comme le démontrent les disciplines mentales, il y a un entremêlement perpétuel des conditions à substrat organique et des conditions à substrat social.

CHAPITRE 7

LES ALTERNANCES FONCTIONNELLES

Le développement de l'enfant ne se fait pas par simple addition de progrès qui se poursuivraient toujours dans le même sens. Il présente des oscillations dont nous avons envisagé déjà certains mécanismes [1] : manifestations anticipées d'une fonction, dues à un heureux concours de circonstances et régressions qu'explique l'élaboration encore insuffisante de ses facteurs subjectifs ; recul de ses résultats, s'ils doivent être obtenus sur un plan d'activité aux structures et aux conditions plus complexes ; éclipse de ses effets par des fonctions plus récentes et qui paraissent vouloir confisquer tout le champ de l'activité avant de s'y intégrer. Mais il n'y a pas que des oscillations par défaut. Certaines alternances ont une portée fonctionnelle : flux et reflux qui tour à tour submergent de nouvelles contrées et font émerger des formations nouvelles de la vie mentale.

Les différents âges entre lesquels peut se décomposer l'évolution psychique de l'enfant ont été opposés comme des phases à orientation alternativement centripète et centrifuge, tournée vers l'édification sans cesse élargie du sujet lui-même ou vers l'établissement de ses relations avec l'extérieur, vers l'assimi-

1. Voir Ire partie, chap. 2.

lation ou vers la différenciation fonctionnelle et l'adaptation objective. Mais, sous l'orientation globale des périodes, il est possible de trouver des composantes plus élémentaires, qui rendent compte de ce va-et-vient, et même de reconnaître en chacune une ambivalence qui lui fait assumer, comparativement à d'autres, tantôt le rôle d'intime élaboration et tantôt celui de réaction à l'égard du milieu.

La vie embryonnaire et fœtale, qui suit la rencontre et la conjugaison des gamètes, est par excellence une phase tournée vers l'édification de l'être en gestation. Tirant tout de l'organisme maternel, substances et oxygène, son métabolisme, également abrité par lui contre toute atteinte ou diversion extérieures, peut s'employer totalement à construire les organes. Brusquement, la naissance livre le corps de l'enfant au refroidissement de l'air ambiant, prélude des intempéries auxquelles il devra désormais réagir lui-même. C'est, d'ailleurs, de ce saisissement que résulte le réflexe qui va lui faire trouver l'oxygène directement dans l'atmosphère. A sa gymnastique respiratoire viendra s'ajouter, quelques heures plus tard, celle, intermittente, de la tétée. Maintenant la satisfaction de ses besoins exige une dépense. Le cycle qui s'établit ainsi ne cessera de s'élargir, avec des péripéties d'équilibre entre assimilation et dépense, très variables selon les moments, les circonstances, l'âge, le tempérament individuel, et les exigences des activités si diverses vers lesquelles il appartient à chacun d'être entraîné pour le maintien de sa vie et par les événements ou par ses goûts.

Pour le nouveau-né, l'alternance s'établit d'abord entre le sommeil, où certains ont vu comme un retour nostalgique vers la quiétude de l'existence amniotique, et l'appétit alimentaire. Les périodes d'assouplissement l'emportent d'abord de beaucoup sur les autres ; les premières semaines, elles s'étendraient, selon Ch. Bühler, sur 21 heures du nycthémère ; à la longue elles se condensent en moments de plus en plus distincts et espacés. Aux approches de l'âge scolaire, vers 5 ou 6 ans, elles se réduisent habituellement à une seule, mais dont la durée doit être encore au moins égale à celle de la veille.

Puis le temps du sommeil régresse petit à petit ; il est souvent, chez l'adulte, plus ou moins rongé par les insomnies. Chez le vieillard peuvent reparaître des alternances plus ou moins fréquentes d'assoupissement et d'éveil ; ce n'est pas dû, comme chez l'enfant, à des besoins accrus de restauration ou d'instauration biopsychiques, mais à la déficience croissante des moyens physiologiques, en particulier de la circulation ; d'où « claudication intermittente » du cerveau.

Entre le milieu et le dormeur, assurément, des contacts subsistent, à commencer par la respiration et les exigences de la régulation thermique ; puis, à mesure que l'évolution fonctionnelle s'y prête, par l'intermédiaire de stimulis externes et des sensations, images ou idées qu'ils peuvent évoquer. Mais les réactions correspondantes sont ou modifiées, ou ralenties, ou détournées de leurs motifs et repères objectifs, contaminées très souvent par des impressions ayant leur source dans l'appareil viscéral ou dans celui de l'équilibre, en tous cas accaparées par les besoins de la biogenèse ou de la psychogenèse intimes. La faim, au contraire, éveille l'enfant, le jette dans une agitation de cris et de spasmes qui va croissant tant que le contact des lèvres avec le mamelon ou la tétine n'est pas venu la muer en activité goulue. Bientôt même la bouche apprend à explorer le sein et les doigts s'y agrippent, puis le tâtent.

Lié aux manifestations de la faim, le mouvement résulte aussi chez le nouveau-né de besoins qui le concernent lui-même immédiatement. Pavlov avait noté chez l'animal en expérience, parmi les réflexes élémentaires et inconditionnels, un réflexe de « liberté » ou de libération, que suscite tout emprisonnement des membres. Le visible malaise du nourrisson trop serré dans des langes, ses gesticulations exubérantes dès qu'il est dégagé de ses entraves, ont la même source et répondent aux exigences d'une sensibilité qui se découvre et qui s'éprouve. Encore exempte de subordination fonctionnelle et s'exerçant pour elle-même, elle est avide de stimulations non seulement actives, comme sont les mouvements spontanés, mais passives, comme ces déplacements entre les mains, dans les bras ou sur les genoux de sa mère, que le nourrisson réclame presque à l'égal de la nourriture. Ses cris sont calmés et le sommeil vient, aussi bien que la mise au sein, par une promenade à travers la chambre ou par des gestes berceurs. Les impressions de translation rapide ou rythmée qui en résultent sont liées à des réactions d'origine labyrinthique ; elles se réfèrent au même système de sensibilité que les impressions musculo-articulaires résultant de ses propres contorsions : la sensibilité proprioceptive.

Cet appétit d'impressions en rapport avec l'équilibre peut d'ailleurs persister jusqu'à l'âge où l'enfant devient capable de les susciter lui-même, comme dans ces cas où sa tête roule alternativement de droite à gauche et de gauche à droite sur l'oreiller, avant et même durant le sommeil, tandis qu'à l'état de veille, il se livre à des balancements sur les jambes et plus souvent sur le séant, qui, d'intermittents chez des sujets normaux, peuvent, dans l'idiotie, devenir une occupation exclusive et frénétique. Sous forme de jeu, ce goût se survit encore chez l'enfant plus âgé et même chez l'adulte, ses modes de satisfaction pouvant être un mouvement communiqué d'origine externe, balançoire, manège giratoire, toboggan), des mouvements actifs de saltation rythmée ou tournoyante, et enfin une simple participation sympathique aux déplacements harmonieux ou vertigineux de lumière, d'images ou même d'objets et d'êtres réels lancés dans l'espace.

Comme la fonction alimentaire, la fonction motrice est donc à deux aspects ou à deux phases, l'une de contact et d'échange avec l'extérieur, l'autre de résorption et d'accomplissement subjectif — entre les deux le renversement pouvant se faire sans que rien ne soit changé aux conditions formelles de la situation. Déjà dans les gestes de faim ou de rassasiement une distinction semblait s'ébaucher entre ceux d'apparence purement affective et ceux d'exploration buccale ou digitale, mais elle n'est pas stable et définitive, car les premiers peuvent devenir un moyen d'appel tourné vers autrui et les autres une simple jouissance fonctionnelle de contacts ou de pétrissage. De même, les réactions musculaires d'abord suscitées par une excitation externe deviennent vite un aliment pour les sensibilités qu'elles ont révélées à elles-mêmes et qui vont, en retour, les guider vers leur plus complète initiation fonctionnelle et les rendre aptes à de nouvelles actions sur le monde extérieur.

Ce cycle ne cesse de se répéter à des niveaux différents. Car, si objectivement complexes que puissent devenir les conditions des actes qui sont tournés vers le milieu, il n'y en a pas qui se répètent sans modification intime : sans relâcher tant soit peu leur dépendance à l'égard des circonstances externes, sans y substituer l'élaboration de schèmes plus fonctionnels et sans édifier, de simplifications en intégrations progressives, des pouvoirs ou des savoirs graduellement et tout à la fois plus uns et plus polyvalents. Ainsi les gestes qui, procédant d'impressions ou d'images extéroceptives, étaient le plus directement opposables à ceux d'origine proprioceptive, deviennent eux-mêmes, sous l'influence de l'automatisation et de l'habitude, opposables à d'autres actions où le rôle prépondérant reste à des circonstances ou à des motifs qui commencent par leur être hétérogènes.

Pareille évolution se retrouve entre toutes, comme dans toutes les formes d'activité : dans le passage aux opérations intellectuelles, comme dans leur apprentissage ; dans la succession, dans l'élaboration et l'orientation des conduites techniques et sociales qui régleront le comportement du sujet.

L'alternance use, selon le niveau et la nature des activités en cause, de mécanismes différents. Dans quelle mesure ils pourraient se conditionner entre eux, il est encore impossible d'en préjuger. A la base est l'activité des tissus, où les transformations d'énergie dépendent du métabolisme, dont les deux phases contrastées sont l'anabolisme et le catabolisme. Par l'anabolisme sont constituées et reconstituées les énergies spécifiques, les structures et, durant la période de croissance, les organes propres à chaque fonction. C'est leur utilisation et les dépenses correspondantes qu'assure le catabolisme. Entre les deux l'équilibre est extrêmement variable. D'origine essentiellement chimique, mais de résultat soit morphogène, soit ergogène, les réactions correspondantes sont sous l'influence des hormones et du système neuro-végétatif. Le jeu de ces agents régulateurs est en rapport avec les étapes du développement organique, avec les moments physiologiques, avec les exigences des tâches vitales ou accidentelles et aussi avec le tempérament de l'individu.

Selon que la réponse est immédiatement déclanchée par une excitation, par une situation, ou qu'elle se produit à retardement, elle a été appelée primaire ou secondaire. Primarité et secondarité ont été regardées comme pouvant être des caractéristiques individuelles (Heymans et Wiersma). Chez certains sujets, la riposte se produirait habituellement sans délai, chez d'autres, elle subirait une sorte d'ajournement. Dans un cas, l'impression entraîne une dépense : catabolisme ; dans l'autre, elle semble mise en réserve : anabolisme. La réaction qui succède comme sans intermédiaire à l'excitation peut, sans doute, modifier profondément les rapports du sujet avec le milieu ou avec son entourage, mais ces rapports sont toujours un certain équilibre, si provisoire soit-il, et cet équilibre une situation objectivement définie. Même très modifiables, les situations qui peuvent ainsi se succéder entretiennent un contact permanent entre le sujet et son ambiance ; il y a entre les deux ce qu'on appelle *syntonie*. L'excitation, au contraire, qui ne se traduit par aucun effet extérieur doit se transformer en une sorte de potentiel subjectif et, dans la mesure où elle pénètre et modifie les structures intimes, elle devient la source de variations plus ou moins profondes, mais à échéance, que révélera le comportement ultérieur du sujet. Dans la période de latence ou d'incubation, l'accord entre l'individu et le milieu n'est que de surface, et le jour où viennent à s'exprimer les élaborations et tendances subjectives, le résultat peut être en contraste frappant avec les façons habituelles ou communes de réagir, les circonstances restant semblables.

Assurément, des réactions primaires n'impliquent pas l'immutabilité du sujet. Elles le modifient, mais secondairement, en le façonnant à des conduites qui sont plus ou moins étroitement commandées par les circonstances, et elles sont par là des moyens immédiats d'adaptation. Inversement, la réaction à terme, la réaction secondaire est l'expression d'un changement qui lui est antérieur, d'un changement primaire, où l'élaboration des structures intimes tend à prévaloir sur les circonstances, ou, du moins, à en spécifier l'effet et les conséquences.

Il semblerait, à première vue, que l'évolution de l'enfant obéisse plutôt au premier type de relations, qu'il soit surtout modifié par les réactions que lui arrache le milieu. Il passe pour se dépenser beaucoup plus au gré des stimulations qui l'assaillent de l'extérieur qu'il ne serait capable d'attente, de combinaison et de méditation. Son pouvoir d'inhibition est effectivement très réduit ; les circuits qui s'ouvrent à ses impressions ne semblent d'abord susceptibles de les mener qu'aux réactions les plus immédiates. En effet les structures anatomiques qui leur servent de support ne sont pas encore frayées et demeurent imperméables d'autant plus longtemps qu'elles appartiennent à un étage plus élevé dans l'édifice hiérarchisé des centres, tandis que les structures fonctionnelles correspondantes exigent de leur côté un apprentissage, des exercices, des occasions d'exercice qui ne peuvent être réalisées sans de longs délais. Il en résulterait ce paradoxe, qui n'est pas inconcevable, que son développement relèverait du type catabolique pour ce qui est des acquisitions psychomotrices, alors que le type anabolique dominerait essentiellement l'ensemble. Ce genre de chevauchements n'est pas exceptionnel.

A y bien regarder cependant, les réponses à des stimulations externes sont loin d'exprimer la totalité de son comportement. Une grande part de son activité est absorbée, notamment, par des répétitions de gestes, dont le motif est évidemment intime. Imitation de soi-même, dit-on souvent à la suite de W. Stern ; mais c'est expliquer des faits souvent beaucoup plus élémentaires par un genre d'opérations dont l'interprétation n'est pas simple. Jeux et joie fonctionnels, explique Ch. Bühler ; et c'est là reconnaître le rôle prépondérant d'appétits à orientation toute subjective. Entre les actes répétés et les réactions exogènes, la proportion varie beaucoup selon les stades de l'évolution générale et de chaque évolution fonctionnelle.

Parmi les gestes suscités par l'ambiance, il y en a beaucoup d'ailleurs qui sont de pure accommodation sensorielle, affective ou motrice ; et l'accommodation, si elle est ajustement à un objet perceptible, à un événement imminent, à un acte en puissance, si elle implique ainsi extériorité ou extériorisation, implique corrélativement une modification psycho-somatique qui peut avoir aussi sa signification propre. Elle peut, en effet, ne pas être complétée par l'acte, par l'événement prévu, ni même par l'objet sur lequel l'attente anticipait. Elle peut alors servir de forme et de support à une intention, à un affect, à une image, qui ne se confondent plus avec l'actuelle réalité extérieure. La plasticité posturale offre à l'activité mentale pure sa première étoffe. Elle ouvre aux impressions dont le motif était d'abord externe l'accès des élaborations intimes. Or chez l'enfant les réactions d'attitude et celles d'éveil sensoriel sont loin d'être en retard sur les autres.

Son comportement atteste souvent enfin la reviviscence ou l'influence d'incidents qui avaient paru lui rester étrangers, mais que son impuissance sans doute à leur trouver réponse sur-le-champ n'avaient fait qu'imposer plus expressément à son attentive et large curiosité des choses environnantes. Avec elles il semble toujours prêt à se confondre par une sorte de mimétisme apparent ou intime. Des auteurs ont décrit la contemplation comme hypnotique, qui peut suspendre en lui toute activité, devant un spectacle inhabituel ou familier, et qui parfois s'achève par un geste furtif de participation à la scène dans laquelle il semble avoir momentanément transfusé sa sensibilité. C'est comme une aliénation passagère de soi pour s'approprier des réalités qui étaient demeurées jusque-là étrangères. De cette imprégnation muette, les conséquences à échéance plus ou moins lointaine peuvent ressembler à ces changements ou détours soudains que, de son côté, la maturation fonctionnelle suscite aux différentes étapes du développement biopsychique.

Les enrichissements et modifications de structure ne portent pas que sur la réaction ; l'excitation, elle aussi, peut entrer dans des systèmes organisés où elle est susceptible, soit de transférer à d'autres éléments perceptifs sa signification fonctionnelle, soit d'en recevoir elle-même de nouvelles. On peut admettre une spécificité initiale entre chaque sorte d'impressions et certaines réponses qu'il lui appartient de provoquer dans des conditions physiologiques déterminées. Mais ce n'est là qu'un matériel de base où les circonstances ne cessent d'opérer des transmutations. Pour prendre un exemple encore élémentaire, c'est ainsi que Pavlov a montré comment l'excitant propre ou « inconditionnel » d'un réflexe peut être suppléé par une impression quelconque ou excitant « conditionnel », pourvu qu'entre les deux excitations il y ait eu simultanéité suffisamment répétée, ou, mieux, légère antériorité de la seconde sur la première.

Mais la mise en évidence de ce fait a exigé des conditions expérimentales qui ont pu lui donner une apparence contraire à sa vraie nature. La spontanéité de l'animal remplacée par l'intervention de l'opérateur, le vide perceptif réalisé dans son ambiance, l'assemblage d'une stimulation arbitrairement choisie à celle qui est en liaison physiologique avec l'appétit ou la tendance en jeu, ont donné l'impression d'une pure association mécanique entre facteurs primitivement distincts, et d'une édification psychique qui serait réglée de l'extérieur, selon des rencontres de circonstances dont seule la répétition serait efficace.

Dans la vie réelle cependant, si de ces transferts d'influence s'opèrent entre stimulations, c'est dans un champ ouvert à toutes et que recouvre indistinctement la sensibilité du sujet. Elles y sont unies ou même confondues antérieurement à toute individualisation. Des structures particulières ne peuvent s'y dessiner qu'en fonction de cette liaison initiale. Utilisant sans doute les éléments assemblés par les circonstances, elles n'en sont pourtant pas simplement l'empreinte, qui resterait bien brouillée s'il ne fallait compter qu'avec le nombre des répétitions. Elles résultent d'une élection qui est commandée par des activités et des appétits dont le complément indispensable est fourni par le milieu, à la fois sous forme d'excitant et d'aliment. Une structure de comportement ne peut que supposer simultanément facteurs intimes et facteurs externes en accord d'efficience. De cette fusion résulte l'état primitif de sensibilité ou de connaissance qui a été appelé *syncrétisme*, où la distinction des rapports, la dissociation des parties, l'opposition de l'objectif et du subjectif ne se sont pas encore produites.

Ce pouvoir d'assimilation a pour contre-partie un pouvoir de différenciation qui ressort, lui aussi, des expériences sur les réflexes conditionnels, lorsque par exemple l'animal est entraîné à réagir, non plus à un son de cloche quelconque, mais à une intensité, une hauteur ou un timbre déterminés du son. Ici encore il ne s'agit pas d'une aptitude substituée de l'extérieur à une autre, comme si elles étaient primitivement opposables, mais d'une structure qui s'est modifiée de telle sorte que, par un jeu approprié d'inhibitions, l'excitation, d'abord active dans sa totalité, devient un simple fond sur lequel se détache, comme devenue seule efficace, l'une de ses qualités particulières. Ce pouvoir de discrimination, qui fait des réflexes conditionnels un moyen d'adaptation plus sélectif et plus exact, relève, selon Pavlov, de l'écorce cérébrale où les impressions s'analysent en vue de combinaisons indéfiniment variables. La phase de différenciation est donc étroitement complémentaire de celle qui répond à l'appétit d'empiétement sur le milieu et d'assimilation, dont la source est un besoin vital. C'est de leur alternance que la fonction tire son utilité et sa signification. Des recherches sur les réflexes conditionnels chez l'enfant qui méconnaîtraient leur intime liaison avec ses instincts de participation et de sympathie ne pourraient aboutir qu'à d'épuisants exercices et de vaines subtilités.

L'excitation peut aussi servir de modèle à la réaction. C'est l'effet connu sous le nom d'imitation. Le même schème qu'aux réflexes conditionnels pourrait lui être appliqué malgré la diversité de ses niveaux, de ses aspects, de ses mécanismes. Elle est, elle aussi, traditionnellement décrite comme un ajustement d'éléments préexistants et distincts : des images dont la source est étrangère au sujet et des mouvements. C'est là un type d'imitation tout au moins tardive. Plutôt qu'un assemblage de pièces rapportées, ses structures sont d'origine intime et elle ne paraît pas explicable sans une phase d'identification subjective. A preuve le langage, où triomphe l'assimilation imitative à l'entourage et où l'intuition des formes et des significations devance de plusieurs mois leur emploi correct et personnel. Le temps d'incubation n'est sans doute pas pour tout objet d'imitation aussi long. Il varie selon les fonctions ou les mécanismes en cause. Il peut ne pas dépasser quelques heures ou même quelques instants, quand il ne s'agit que de dégager la réalisation nouvelle sur un fond d'actes déjà familiers. Mais la coordination des traits ou gestes nécessaires suppose l'intention préalable de sa structure essentielle.

Deux moments, dont l'orientation est contraire, sont au fond de toute imitation. L'un d'union plastique, qui semble boire l'impression externe et la décanter de son appareil étranger, pour n'en retenir que les éléments capables de s'immiscer dans les formations psychiques existantes : il en résulte l'édification d'une nouvelle puissance, mais encore purement virtuelle. L'autre, qui n'est pas moins indispensable, de mise en œuvre et d'exécution. L'acte qui s'ensuit exige des tâtonnements parfois très apparents. Il lui faut retrouver dans le sujet lui-même, dans son acquis fonctionnel, dans ses habitudes, les moyens de réalisation dont son équivalent intuitif avait dû se dépouiller. Dissociation et recombinaison des éléments adéquats sont une opération dont les imperfections souvent prolongées montrent bien les difficultés. C'est en particulier l'ordre entre les gestes redécouverts qui peut rester défectueux, preuve qu'ils sont loin d'exprimer par eux-mêmes le modèle, mais qu'ils doivent s'assujettir aux exigences d'un prototype intime. A mesure, cependant, qu'ils s'explicitent davantage, ils rendent possibles et suscitent des comparaisons objectives avec le modèle externe. L'alternance entre les deux phases contraires et complémentaires d'assimilation intuitive et d'exécution contrôlée peut prendre alors un rythme plus ou moins rapide jusqu'à ce que l'imitation semble satisfaisante.

Mêmes alternances dans l'évolution de la personne et sur le plan intellectuel. Elles se reflètent dans certaines théories psychologiques. Il est aisé, par exemple, de les reconnaître sous les termes de la dialectique freudienne. Par le neutre allemand *es* ou latin *id* ou français *cela* est désignée la masse des instincts, des convoitises à la recherche de leur objet qui, pour Freud, est essentiellement objet sexuel. Mais le besoin de l'absorber, de l'identifier à soi en s'identifiant à lui peut se heurter à certaines conditions du milieu qui rendraient dangereuses pour l'individu les libres satisfactions de ses désirs. Au contact de l'instinct et du milieu se différencie donc comme une surface d'adaptation, le *ich*, l'*ego*, le *moi*, qui est la conscience se retournant contre l'instinct pour réduire ses exigences d'absorption totale et pour lui substituer des activités qui soient en accord avec les nécessités des circonstances objectives. Les deux phases contraires et complémentaires sont ici bien apparentes.

Mais Freud s'est en outre avisé que cet équilibre purement utilitaire ne pouvait pas expliquer tous les motifs de l'activité humaine. A la conscience de simple accord objectif avec le milieu, il a superposé une conscience morale : le *superego* ou le *surmoi*, qui, elle aussi, est un produit des mêmes deux phases d'adaptation et d'assimilation. Elle est en effet une identification aux contraintes qui s'imposaient de l'extérieur et qui deviennent contrainte intime. Pour cette assimilation à soi des limites mises à l'instinct, c'est l'instinct lui-même qui est utilisé. L'enfant ne saurait, en effet, s'ouvrir à des injonctions abstraites sans une intercession concrète, vivante, humaine. Ce sont les jeux de sa libido à l'égard de son père, d'abord rival contre qui se dépensent ses intentions hostiles, puis modèle qu'il adopte en son être intime, qui l'ont fait accéder à une forme supérieure de conscience et par suite d'adaptation, l'adaptation au monde intellectuel des impératifs sociaux. Le besoin de possession tourné vers les réalités peut alors s'effacer devant celui d'agir selon des représentations et des principes.

Ce n'est effectivement qu'à la suite d'alternatives diverses que les rapports de l'enfant avec les êtres et les choses s'inscrivent dans les cadres qui sont communément tenus pour le fondement indispensable de toute connaissance et de toute conscience. A chaque niveau de l'évolution psychique, elles se répètent et jouent leur rôle — sous une forme évidemment en rapport avec la nouveauté des activités en jeu et des structures en formation.

Les premiers états de la sensibilité laissent comme indivis ce qu'ils doivent aux dispositions subjectives et aux qualités de l'objet. Entre les deux, la fusion est initiale. Dès la naissance, sans doute, il surgit des intermittences dans la satisfaction des besoins et, par suite, apparaissent le désir, l'appétit, l'attente, où l'on affirme souvent qu'il y a une préfiguration de l'objet. Mais elle ne peut y être impliquée sans expériences ni apprentissage. Même une appropriation fonctionnelle d'emblée aux circonstances correspondantes, même l'exact discernement des plus favorables ne supposent pas une image préalable. Cette image ne peut être qu'une conséquence de l'alternance entre les moments de satisfaction et de privation. Et sa différenciation n'a rien d'automatique, car les effets qui traduisent la satisfaction et la privation ne se ressemblent aucunement. Les cris de l'enfant qui a faim et ses mouvements de succion au contact du mamelon, loin de pouvoir s'évoquer l'un l'autre, ont une sorte d'incompatibilité initiale. Si plus tard des ébauches de succion se mêlent aux cris ou s'y substituent pour exprimer la faim, c'est le résultat d'un transfert : le geste qui répondait à l'acte en son plein accomplissement devient secondairement signal du besoin. L'acte se dédouble en ses constituants ; il n'est pas le produit d'un accord unissant deux systèmes d'abord autonomes, l'un proprio et l'autre extéroceptif.

Entre les deux termes de l'alternance, incomplétude et réalisation fonctionnelles, le trait d'union ne peut résulter que des moyens dont l'usage s'offre et s'impose à l'enfant pour passer de l'un à l'autre. Ils ne présentent souvent pas la moindre parenté avec l'effet à obtenir. Les rapports du nourrisson avec le monde extérieur, par exemple, sont sous la stricte dépendance d'autrui. Il ne trouve d'occasions à exploiter que dans l'intervention de son entourage. C'est sur cet intermédiaire que se façonnera d'abord son activité, et non directement sur l'objectif.

Mais entre lui et autrui non plus il n'y a pas distinction préalable. Des situations se succèdent, désirables ou non, dont il acquiert l'expérience qu'elles peuvent ou non être complétées de certaine façon, mais sans qu'il sache bien discerner comment. Elles tirent de lui, dès qu'elles s'annoncent, une certaine agitation, mais dont il est incapable de délimiter quelle part elle détient ou détiendra dans les conséquences. Tout ce que ses gestes déclanchent d'effets leur appartient, comme ils appartiennent d'ailleurs eux-mêmes à l'ensemble de la situation. Il ne sait pas, en particulier, les distinguer de l'aide qui leur est prêtée par autrui, encore moins des actes suscités en autrui qui les font atteindre au but. Actif et passif, souvent alternés ou mêlés, demeurent confondus pour lui. Le moment de son évolution où il apprend à les dissocier est marqué par les jeux où il s'attribue tour à tour le rôle actif et le rôle passif : frapper, être frappé ; lever le voile, se cacher dessous. Du même coup, il s'entraîne à s'opposer des partenaires. Ces différenciations qui placent hors de lui des êtres entre lesquels il restait lui-même plus ou moins éparpillé et diffus introduisent un jeu de combinaisons nouvelles dans son adaptation au monde extérieur.

Avec les réalités inanimées, qu'elles soient aliments, buts, moyens ou obstacles pour ses activités, le problème d'en délimiter l'existence d'avec la sienne propre se pose aussi. Ce n'est pas seulement, en effet, qu'elles ont d'abord été le simple complément de ses gestes, l'occasion de ses réflexes, mais bientôt aussi elles ont suscité une vraie passion de contacts et d'accaparement, comme si sensations et mouvements avaient été les instruments d'une *libido* tournée vers les choses. Lorsque à cette possession totale, au sens réciproque du mot, succède la délinéation des objets, elle s'opère bien en leur donnant une enveloppe qui semble les isoler, mais aussi en faisant éprouver, épouser la forme qui leur répond à la sensibilité de l'enfant, de telle sorte qu'il les sent encore en lui, comme il se sent en eux. La conséquence de ce participationnisme initial est qu'il commence par leur attribuer la même espèce de vie qu'à lui-même. C'est sa période d'animisme.

La phase d'individualisation va même souvent jusqu'à dépasser d'abord les limites qui nous sont devenues familières. C'est ainsi que l'enfant peut se conduire avec telle partie de son corps ou de son organisme comme si elle était capable de sentir, de voir ou d'entendre pour son propre compte : se trouvant sur un balcon, il dira que c'est pour permettre à ses genoux de regarder dans la rue. Pareilles illusions montrent, en même temps, ce qu'avait de nébuleux la fusion en un seul ensemble de tout ce qui entrait dans sa perception. Il n'extériorise pas ce qui lui est étranger par rapport à une conscience de soi déjà fixe et ferme. Il n'arrive à éjecter hors de lui ce qui lui semble appartenir au milieu que par un travail simultané de rassemblement et de condensation d'où sortira son moi, — non sans quelques va-et-vient d'amplitude plus ou moins grande.

Sur le plan intellectuel aussi, c'est un jeu semblable d'alternances qui mènera sa pensée du syncrétisme où elle agglutine, sans les articuler entre elles, les circonstances rencontrées ou imaginées, jusqu'à l'exact discernement des rapports qui peuvent expliquer les êtres et les événements. A chacune des étapes intermédiaires, c'est toujours la même alternance en action. A celle, par exemple, où, les relations des choses ne pouvant encore être formulées ou imaginées pour elles-mêmes, l'enfant ne sait entre deux objets ou deux situations saisir que des analogies, il reste souvent partagé entre le principe d'assimilation, qui est au fond de toute analogie, et un sentiment de différence qui naît du rapprochement et parfois même qui l'a suscité. D'où les contradictions flagrantes qu'il lui arrive d'énoncer, soit à l'égard de la réalité, soit en opposition avec ses propres affirmations [1]. Plus tard, quand il s'essaie à classer ses impressions des choses ou les choses elles-mêmes sous des rubriques permanentes et impersonnelles, il sera tour à tour mené et rendu perplexe par le besoin, tantôt d'unir sous la même des réalités pourtant quelque peu différentes, tantôt de marquer, de définir les différences. C'est, dans l'établissement du concept, le conflit entre sa « compréhension » et son « extension ».

Au-dessus de ces actions, qui intéressent chaque fonction et comme chaque moment de la vie psychique, émergent enfin de plus vastes ensembles qui répondent à des *âges*, dont la succession peut se définir, elle aussi, par une alternance entre les phases d'absorption et d'édification intime, d'où l'être sort doué de nouvelles exigences, de nouveaux pouvoirs, et des phases où il fait l'essai et la découverte sur un plan nouveau de ses rapports avec les réalités extérieures. Ces âges seront étudiés plus loin. Qu'il suffise ici d'indiquer par deux exemples la signification des changements qui leur répondent. L'édification de l'organisme, à laquelle la période de gestation est exclusivement consacrée, mais sans y suffire, loin de là, n'est qu'un premier soubassement pour l'évolution de l'être psychique. En même temps qu'elle se poursuit après la naissance, elle entraîne des faits de maturation qui rendent possibles comme des révolutions dans le comportement. Telles sont la crise de trois ans et celle de la puberté, où l'enfant prend possession en sa propre personne d'une substance et d'aspirations nouvelles, qui vont l'obliger à reviser ses relations avec son entourage et son univers.

Elles ont été précédées, l'une, de ces acquisitions : la marche, la parole, qui lui ont permis tant d'investigations dans le monde des choses et des notions qui s'y rapportent ; l'autre, de cet âge scolaire au cours duquel il s'est familiarisé, par ses jeux et l'enseignement reçu, avec l'usage et la structure des objets, des institutions qui l'environnent. Elles opèrent dans ses

---

1. Ce fait, dont j'ai donné différents exemples dans mon cours au Collège de France sur la pensée par couples, a été repris dans *Les origines de la pensée chez l'enfant*.

points de vue une sorte de conversion. L'évolution physiologique en est évidemment la cause, mais elle a pour effet, sur le plan psychique, une intégration subjective des rapports qui, dans la phase antérieure, s'étaient déployés à l'égard du monde extérieur. Matériellement échappé à l'incessante assistance d'autrui, l'enfant de 3 ans découvre l'autonomie de son moi, qu'il passe alors une période à dresser contre celui d'autrui. D'où résulte, à la fois, une sorte de révérence pour son propre personnage et d'attention souvent ambivalente pour les personnalités de son entourage, qui inaugurent tout un renouvellement dans les principes et les modes de son comportement. Quant à la puberté, elle consiste, elle aussi, dans un remaniement des valeurs qui semblaient le mieux établies, que ce soit à l'égard des personnes ou à l'égard des réalités physiques, sociales, morales où l'adolescent s'avise alors de reconnaître que s'encadre sa vie.

Ainsi s'échelonnent, depuis les fonctions les plus physiologiques ou élémentaires, aux fonctions les plus multiples dans leurs conditions, les plus complexes dans leurs conséquences, ces alternances qui entraînent tour à tour la croissance propre, intime de l'individu et l'extension dans le monde extérieur de ses moyens et de ses buts. Au bas de l'échelle, l'alternance semble se répéter identique à elle-même et ses résultats quotidiens tourner dans le même cercle. C'est seulement à longue échéance que le changement devient sensible. Son évidence éclate, au contraire, d'emblée quand il répond à une de ces étapes, comme la puberté, qui sont uniques dans l'existence. Cependant, prise à l'état moléculaire ou intégrée dans un plus vaste ensemble, l'alternance suscite toujours un nouvel état qui devient le point de départ d'un cycle nouveau. Ainsi se poursuit le développement de l'enfant sous des formes qui se modifient d'âge en âge.

troisième partie

LES NIVEAUX FONCTIONNELS

CHAPITRE 8

LES DOMAINES FONCTIONNELS : STADES ET TYPES

Les besoins de la description obligent à traiter distinctement de quelques grands ensembles fonctionnels, ce qui ne va sans doute pas sans artifice, surtout au point de départ, quand les activités sont encore peu différenciées. Certaines cependant, comme la connaissance, ne débutent manifestement qu'assez tard. D'autres, au contraire, sont apparentes dès la naissance. Entre elles, il y a succession de prépondérance. Il faut, d'ailleurs, pour le reconnaître, savoir identifier le style propre à chacune et ne pas se borner à la simple énumération des traits qui y sont simultanément observables.

Ce qui rend la chose plus nécessaire, et aussi plus difficile, c'est que le développement de l'enfant a, surtout dans les premiers temps, une telle rapidité que ses diverses manifestations chevauchent entre elles, de telle sorte que souvent une même période est, en proportion d'ailleurs variable, de style composite. Mais l'individualité des systèmes ainsi juxtaposés peut être confirmée par la pathologie [1]. Certains arrêts de développement psychique imposent à toutes les réactions du sujet

---

1. Voir Ire partie, chap. 2.

le type correspondant de comportement. Elles viennent toutes successivement comme buter au même plafond. Il en résulte, non seulement leur uniformité, mais aussi qu'elles peuvent atteindre une sorte de perfection formelle qui est habituellement de mauvais augure. Toute virtuosité partielle au cours de la croissance doit faire penser à une activité qui continuerait de s'exercer indéfiniment pour elle-même, faute de trouver à s'intégrer dans les systèmes consécutifs, dont une évolution normale devrait entraîner l'apparition. D'ordinaire, en effet, l'élaboration de l'une, dès qu'elle rend possible l'avènement de la suivante, fait qu'elle est captée, façonnée en vue de besoins qui lui sont spécifiquement étrangers ; et, par suite, les effets qui lui sont propres se voient souvent limités et tronqués. Ils ne peuvent alors retrouver éventuellement leur libre déploiement que dans le jeu ou dans l'activité esthétique, dont c'est un des effets de restituer à des fonctions que l'usage et l'évolution ont rendues serves leur exercice ou expression pour soi.

Suivant le moment et le niveau où il se produit, l'arrêt du développement psychique peut être massif ou, au contraire, ne pas être incompatible avec une certaine diversité fonctionnelle, mais où s'affirme une dominante qui est souvent d'un âge révolu. Dans le premier cas, qui est celui de l'idiotie, toutes les manifestations d'activité relèvent uniformément du même stade. Elles ne savent pas s'approprier à des circonstances ou à des stimulations qui ne soient pas en rapport étroit avec elles-mêmes. Quand, au contraire, la différenciation des fonctions est restée possible, le comportement déborde les limites du stade, mais il peut se signaler par un type donné d'effets. Tantôt il est marqué par l'excès persistant d'une fonction, qui n'a pu dépasser l'état ludique et dont les seules raisons d'activité sont en elle-même : telle est l'incontinence et l'insanité verbales de certains débiles mentaux. Tantôt l'effet paraît plus diffus. Ce sont tous les actes du sujet qui présentent, par exemple, un caractère infantile, soit que leurs motifs semblent en retard sur les intérêts qui conviendraient à son âge, soit que leur facture et leur formule gardent une physionomie qui trahit une conscience encore puérile de son personnage. Mais l'insuffisance est souvent aussi plus discrète et de conséquence plus intermittente. Elle peut même être susceptible de compensation ou de surcompensation et agir comme stimulant pour susciter des suppléances. Il arrivera qu'il en résulte des supériorités effectives. Mais ce détour, s'il peut à certains égards enrichir la fonction, peut ne pas supprimer sa fragilité interne, que des coups de surprise ou des influences déprimantes, et la simple fatigue elle-même, viennent à déceler soudain. En tous cas, l'équilibre sur lequel se fonde le comportement de chacun peut être très divers. Rien ne saurait mieux en faire connaître la structure, les saillants et les faiblesses que d'avoir observé chez l'enfant ses composantes et leurs relations mutuelles étalées dans le temps. De façon plus générale, il doit en sortir une connaissance étendue des échanges et adaptations réciproques dont les différents domaines fonctionnels sont susceptibles.

Leur délimitation peut ne pas aller d'ailleurs sans quelque ambiguïté. A l'affectivité ressortissent bien, semble-t-il, les manifestations psychiques les plus précoces de l'enfant. Elle est liée d'emblée à ses besoins et automatismes alimentaires, qui sont de si près consécutifs à la naissance. Il semble difficile de ne pas lui rattacher, comme expression de malaise ou de bien-être, le premier comportement musculaire et vocal du nourrisson. Les gesticulations comme pour elles-mêmes, auxquelles il lui arrive aussi de se livrer, paraissent à la fois signe et source de plaisir. Elle y trouve sa base proprioceptive, comme dans les fonctions viscérales celles du tube digestif en particulier, sa base intéroceptive.

Sans doute, d'autres mouvements, soudains et intermittents, conséquence d'une excitation ou d'apparence spontanée, peuvent bien se produire, mais comme à son insu. Ils semblent de simples décharges, à l'image des structures déjà constituées : la seule incontinence dynamique des centres nerveux suffit à les expliquer. De pareilles impulsions sont susceptibles de se produire à tous les niveaux de l'activité psychomotrice. Sous forme plus ou moins dissociée, elles en révèlent la texture fractionnelle. Leur cause évidente est une insuffisance de coordination ou de contrôle. A ce titre, elles indiquent le manque de maturation ou le déséquilibre du système psychique. Mais en elles-mêmes ce sont de simples manifestations motrices dégradées.

Ce n'est pas seulement le premier comportement psychique de l'enfant qui est de type affectif, mais aussi celui de l'idiotie à son niveau le plus bas. L'agitation correspondante n'est faite alors que de cris, où se succèdent les intonations de la colère, du triomphe, de la souffrance, et d'attitudes ou de gestes dont la signification émotionnelle ne peut faire doute. Ces effets souvent se déclanchent à la seule présence d'autrui, montrant ainsi à quelle couche primitive et profonde de la sensibilité appartiennent les réactions qui peuvent être appelées de *prestance*, parce qu'elles semblent le réflexe du personnage que chacun porte en soi à l'égard de tout être rencontré. C'est là évidemment, dans le comportement essentiel du sujet, une sorte de vigilance différenciée où s'alimente ce qu'il y a de plus vif dans le sentiment de personnalité. Mais, pour la personnalité elle-même, son développement suppose l'achèvement de l'évolution psychique.

Bien que prenant racine, par ces réflexes d'accommodation à la présence d'autrui, dans la sphère des instincts les plus fondamentaux, la personne n'arrive à se constituer qu'à travers tout l'ensemble des autres étapes fonctionnelles. Dans les cas d'involution mentale, où il est de règle que les fonctions s'abolissent dans l'ordre inverse de leur acquisition, elle est ce qui s'altère en premier. Des lésions qui paraissent laisser intactes les opérations perceptives et même intellectuelles les plus complexes atteignent, dans la conduite du sujet, ce qui relève du sentiment qu'il avait de sa dignité. Leur siège paraît être essentiellement la région préfrontale, qui est celle dont le développement dans l'espèce, la maturation chez l'individu sont le plus tardifs. C'est par le sentiment de personnalité que sont amalgamées aux réflexes d'aspect organique qui insèrent l'individu en tant que tel dans son ambiance, des valeurs dont l'unique support consiste en notions entre toutes abstraites ou idéales, puisque leur objet ne peut se ramener à une existence matérielle, mais seulement à des conséquences éventuelles, dont le niveau varie d'ailleurs avec la civilisation de l'époque et le degré d'évolution psychique atteint par l'individu ; tantôt objectives et sensibles, tantôt plus strictement intimes et morales.

Les domaines fonctionnels qui s'étendent entre les réactions purement affectives et celles de la personne morale sont ceux qui sont tournés vers les réalités extérieures : réalités soit présentes et actuelles, soit absentes et imaginées. Dans le premier cas, les rapports sont constitués par des réactions motrices, mais dont les combinaisons peuvent présenter bien des niveaux différents : depuis la simple liaison circulaire, qui rattache un mouvement aux sensations extéroceptives qu'il provoque et ces sensations au mouvement qui les provoque, jusqu'à cette aptitude à reconnaître, en vue d'un résultat bien défini, les possibilités spatiales ou mécaniques offertes par le champ perceptif, qui a été décrite sous le nom d'intelligence pratique ou intelligence des situations, en passant par la simple, mais souvent difficile appropriation des structures motrices que sont nos automatismes, naturels ou appris, à la structure des objets. C'est le domaine de l'acte moteur.

Dans l'autre cas, l'objet ou l'événement, n'étant pas directement saisissables ni efficaces, doivent être représentés par un moyen et sous une forme quelconques. L'effet sensori-moteur qui peut répondre à cette représentation n'est utilisable qu'à la condition de recevoir une signification qui s'ajoute ou plutôt qui se substitue à son propre visage. Dégager et définir ces significations, les classer, les dissocier, les rassembler, en confronter les rapports logiques et expérimentaux, tenter de reconstruire par leur moyen ce qui peut être la structure des choses : c'est le domaine de la connaissance, qui elle aussi offre bien des niveaux différents et dont l'évolution mentale de l'enfant montre les premiers stades décisifs.

Les domaines fonctionnels entre lesquels va être répartie l'étude des étapes que parcourt l'enfant seront donc ceux de l'affectivité, de l'acte moteur, de la connaissance et de la personne.

CHAPITRE 9

L'AFFECTIVITÉ

Le cri du nouveau-né venant au monde, cri de détresse, selon Lucrèce, en face de la vie qui s'ouvre à lui, cri d'angoisse, selon Freud, au moment où il se détache de l'organisme maternel, ne signifie pas autre chose pour le physiologiste qu'un spasme de la glotte, dont s'accompagnent les premiers réflexes respiratoires. Sa motivation psychologique par le pressentiment ou le regret a quelque chose, en effet, de mythique. Mais sa réduction à un simple fait musculaire n'est qu'une abstraction. Il appartient à tout un complexe vital. Au spasme est lié le cri, mais aussi un ensemble de conditions et d'impressions simultanées qui s'expriment dans le spasme comme dans le cri. A ce stade élémentaire, il ne peut être évidemment question de distinguer entre le signe et la cause.

Plus spécialement, il n'est pas possible dans le spasme de discerner entre mouvement et sensibilité, comme plus tard entre des sensibilités et des mouvements de type plus évolué, de circuit plus étendu et plus différencié. Le spasme de l'iris ne va pas sans une souffrance dont le seul remède est de paralyser l'iris. Le spasme de l'intestin entraîne des coliques, si fréquentes au cours de la digestion chez le nourrisson, et d'où résultent des cris, sans doute par extension physiologique de spasme à l'appareil respiratoire, la différenciation du cri comme simple moyen d'expression, sans rapport direct avec ce qu'il extériorise, ne pouvant survenir que plus tard. La généralisation du spasme à tous les viscères : œsophage, arbre respiratoire, circulation, a pour effet l'angoisse. Certains spasmes, comme dans l'orgasme vénérien, peuvent être source de jouissance. Mais ils sont souvent à la limite de la souffrance, le plaisir étant d'autant plus aigu qu'ils en sont plus proches, et sa stimulation étant parfois cherchée dans des excitations douloureuses. Entre l'angoisse et l'excitation génitale il peut d'ailleurs y avoir confusion ou passage. Le désir érotique frise l'angoisse ; un état d'angoisse, même d'angoisse mélancolique, se dissout éventuellement dans des pratiques érotiques.

Le plaisir ou le soulagement semblent accompagner les spasmes où se dépense une tension devenue excessive. Ainsi les sanglots, qui sont une liquidation habituelle de l'angoisse, et moins exceptionnelle que n'est le spasme vénérien. Le fou rire peut être lui aussi la résolution d'une attente ou d'une contrainte prolongées, l'évasion d'énergies suspendues et accumulées. Le simple rire lui-même est une cascade de secousses où tend à s'épuiser la tension des muscles et qui habituellement les amollit, y supprime toute capacité d'effort. A l'encontre des sanglots, il se déploie beaucoup plus dans les muscles striés du squelette que dans ceux des viscères, et sa cause habituelle paraît moins consister dans une élévation de la tension que dans un abaissement du seuil au-dessus duquel elle se laisse contenir.

Mais il s'agit là de spasmes déjà organisés, qui dépassent les simples crampes des appareils viscéraux ou moteurs. Au lieu d'être élémentaires et sporadiques, ils s'enchaînent, ils sont réglés et sont même régulateurs des énergies qui se dépensent en eux. La sensibilité liée à chacun d'eux se transfère à l'ensemble et, de purement organique au début, elle peut, de proche en proche, devenir plus morale. La souffrance brute qui répondait à ses paroxysmes est drainée, déplacée, diluée, subtilisée et finalement intégrée à des actes psychiques qui en viennent graduellement à changer sa tonalité pénible en simples aiguillons de la conscience. Cette évolution peut être suivie chez l'enfant au cours des étapes qui jalonnent les progrès de son affectivité.

Le spasme a pour étoffe l'activité tonique des muscles qui précède les mouvements proprement dits. L'agitation du nourrisson est faite de brusques détentes qui le font passer d'une attitude à une autre. Dans chacune d'elles, les muscles semblent se tendre et se durcir, plutôt qu'ils ne se raccourcissent ou ne s'allongent en vue de gestes qui puissent explorer l'espace. La contraction y est massive, tétaniforme, s'y propage en nappe, intéresse particulièrement la musculature vertébrale et proximale, c'est-à-dire celle qui servira surtout à la stabilisation des mouvements et à l'équilibre du corps. Les premiers réflexes sont des réflexes toniques de défense ou d'attitude. Un contact, un pincement de la peau détermine un retrait ou un étirement athétosique du membre. Du bruit provoque un tressaillement, semblable à ces brusques détentes du tonus qu'entraîne parfois sa libération soudaine par le sommeil. Les influences des excitations labyrinthiques sur le comportement du nouveau-né sont évidentes. Elles peuvent suffire à modifier de façon systématique la position relative de sa tête et de ses membres et elles rendent compte du goût qu'il montre à être bercé.

C'est à une stimulation labyrinthique brutale, à une impression de chute que sont liées les réactions de la première émotion nettement différenciée chez l'enfant, la peur. Toutes les autres également, chacune à sa façon, répondent à des variations du tonus tant viscéral que musculaire, et procèdent par conséquent de la fonction posturale, où Sherrington a rassemblé tout ce qui est manifestation tonique. Puisant à ce réservoir commun, sont-elles totalement réductibles entre elles ? C'est la tendance de certains, comme Watson, d'expliquer la diversité des émotions par l'action des circonstances, qui uniraient leur noyau initial à des excitants et à des réactions variables. Mais leur spécificité ontogénétique est en fait incontestable. Quelles que soient leurs étapes dans l'histoire de l'espèce, elles relèvent chacune d'automatismes qui leur sont propres et qui émergent dans le comportement des individus comme un effet de maturation fonctionnelle. C'est ainsi qu'en dehors de toute occasion repérable, elles peuvent donner lieu chez l'idiot à toute une série de manifestations qui semblent se produire pour elles-mêmes : attitudes non seulement d'agression, de menace ou de peur, mais aussi de défense, de supplication et gestes propitiatoires chez des sujets jamais frappés pourtant, ni malmenés.

Les émotions consistent essentiellement en systèmes d'attitudes qui, pour chacune, répondent à une certaine espèce de situation. Attitudes et situation correspondante s'impliquent mutuellement, constituant une façon globale de réagir qui est de type archaïque, et fréquente chez l'enfant. Une totalisation indivise s'opère alors entre les dispositions psychiques, toutes orientées dans le même sens, et les incidents extérieurs. Il en résulte que, souvent, c'est l'émotion qui donne le ton au réel. Mais, inversement, des incidents extérieurs acquièrent le pouvoir de la déclancher presque à coup sûr. Elle est, en effet, comme une sorte de prévention qui tient plus ou moins au tempérament, aux habitudes du sujet. Mais cette prévention, focalisant autour d'elle sans distinction toutes les circonstances de fait actuellement rassemblées, confère à chacune, même fortuite, le pouvoir de la ressusciter plus tard comme ferait l'essentiel de la situation. Par son syncrétisme, son exclusivisme à l'égard de toute orientation divergente, sa vivacité d'intérêt et d'impression, l'émotion est tout particulièrement apte à susciter des réflexes conditionnels [1]. Sous leur influence, elle peut souvent paraître en opposition avec la logique ou l'évidence. Ainsi se constituent des complexes affectifs irréductibles au raisonnement. Mais aussi elle donne aux réactions une rapidité et surtout une totalité qui conviennent aux stades de l'évolution psychique et aux circonstances de la vie où la délibération est interdite.

Les situations avec lesquelles elle confond le sujet ne sont pas que des incidents matériels, ce sont aussi des rapports

---

1. Voir IIe partie, chap. 7.

interindividuels. L'ambiance humaine infiltre le milieu physique et s'y substitue en grande partie, surtout pour l'enfant. Or il appartient précisément aux émotions, par leur orientation psychogénétique, de réaliser ces liens qui anticipent sur l'intention et le discernement. Les attitudes qui les composent, les effets sonores et visuels qui en résultent sont pour autrui des stimulations d'un intérêt extrême, qui ont le pouvoir de mobiliser des réactions semblables, complémentaires ou réciproques, c'est-à-dire en rapport avec la situation dont elles sont l'effet et l'indice. Une sorte de consonance, et d'accord ou d'opposition, s'institue très primitivement entre les attitudes émotionnelles des sujets qui se rencontrent dans un même champ de perception et d'action. Le contact s'établit entre eux par mimétisme ou contraste affectifs. C'est par là que s'instaure un premier mode concret et pragmatique de compréhension ou, mieux, de participationnisme mutuels. La contagion des émotions est un fait qui a été souvent signalé. Elle tient à leur pouvoir expressif, sur lequel se sont fondées les premières coopérations de type grégaire, et que d'incessants échanges et, sans doute, des rites collectifs ont transformé de moyens naturels en mimique plus ou moins conventionnelle.

Les influences affectives qui environnent l'enfant dès le berceau ne peuvent qu'avoir sur son évolution mentale une action déterminante. Non pas qu'elles créent de toutes pièces en lui ses attitudes et ses façons de sentir, mais précisément, au contraire, parce qu'elles s'adressent, à mesure qu'ils s'éveillent, à des automatismes que le développement spontané des structures nerveuses tient en puissance, et, par leur intermédiaire, à des réactions d'ordre intime et fondamental. Ainsi le social s'amalgame à l'organique.

Un exemple de ces interférences est le sourire, sur lequel les observateurs de l'enfance ont multiplié les remarques. Lui attribuant d'emblée sa pleine signification fonctionnelle, Ch. Bühler affirme qu'il est de source purement humaine et ne se produit qu'en présence d'un visage. Mais bien des notations sont contraires à cette assertion. Il paraît d'abord lié à des stimulations cutanées proches de la région musculaire où il se produit : chatouillement sous le menton (Dearborn) le 1er et le 2e jour ; sur la joue et le nez (Scupin) le 2e jour ; sur le nez (Ament) le 3e jour ; sur la joue (Dearborn) le 5e jour ; contact du mamelon sur la joue (Blanton) le 28e jour ; serrement de la main et du bras pour jouer (Major) le 28e jour. Puis viennent des excitations plus générales et de tonalité nettement affective : bain chaud (Major) 4e jour ; bien-être (Dearborn) 6e jour (Baldwin) 7e et 9e jour ; repos après la tétée (Preyer) 26e jour ; sommeil après la tétée (Moore) 5e semaine ; bien-être après sommeil (Shinn) 5e semaine ; bien-être après friction à l'huile (Shinn) 8e semaine. Un peu plus tard débute l'action des stimulants extéroceptifs : pépiement de la nurse (Valentine) le 10e jour ; lumière brillante (Blanton) le 13e jour ; ombre bleue sur la lumière (Blanton) le 16e jour ; audition de sons aigus (Darwin) 6e semaine. Enfin apparaît avec certitude le facteur humain : visage souriant (Moore) 20e jour ; bavardage et mimique (Tiedmann) 28e jour ; sourires d'adultes (Jones, Grégoire) 2e mois ; nurse qui balance la tête et chante (Piaget) 45e jour ; regards amicaux (Moore) 5e semaine ; vue de la mère (Darwin) 6e semaine ; imitation des adultes, situation de jeu (Grégoire), babil de la mère, visage souriant, hochet argenté (Dearborn) 7e semaine.

Entre le début de ces différentes sortes d'excitations l'ordre de succession est net. D'abord celles qui sont une stimulation immédiate de la tonicité musculaire, et puis un état général de contentement organique s'exprimant par une réaction locale. Ensuite des impressions sensorielles à objet distant. Et enfin l'action à distance d'un visage ou d'une voix exprimant et inspirant le contentement, un contentement de source externe et non plus intime. Réactions d'où ressort la signification affective du sourire, mais précédées de celles qui se bornent à démontrer sa possibilité physiologique : contractilité du groupe musculaire approprié, subordination de ce groupe à des impressions extéroceptives. C'est également ainsi, comme l'a montré Insabato, que le rire, puis les sanglots peuvent être provoqués de façon mécanique par le chatouillement résultant d'une stimulation musculo-tendineuse profonde, mais sont aussi devenus la conséquence et l'expression de l'affectivité organique, puis de circonstances morales.

L'induction du sourire par le sourire suit de si près son apparition, a une sûreté tellement élective, qu'il est vraisemblable d'admettre une affinité fonctionnelle, due à la nature propre des manifestations émotives, plutôt que le simple jeu des événements et de réflexes conditionnels. Mais, de toutes façons, il est un exemple des procédés par lesquels s'élargit à l'ambiance la sensibilité de l'enfant ; elle en reproduit les traits et ne sait pas s'en distinguer. Cet étalement, qui est aussi une aliénation de soi en autrui, implique une seconde phase inverse, où le sujet prendra possession de soi en s'opposant à autrui. Mais c'est alors l'évolution de la personnalité qui commence. A l'émotion revient le rôle d'unir les individus entre eux par leurs réactions les plus organiques et les plus intimes, cette confusion devant avoir pour conséquence ultérieure les oppositions et les dédoublements d'où pourront graduellement surgir les structures de la conscience.

Les émotions, qui sont l'extériorisation de l'affectivité, amorcent ainsi des changements qui tendent à les réduire elles-mêmes. Sur elles reposent des entraînements grégaires qui sont une forme primitive de communion et de communauté. Les relations qu'elles rendent possibles affinent leurs moyens d'expression, en font des instruments de sociabilité de plus en plus spécialisés. Mais, à mesure qu'en se précisant leur signification les rend plus autonomes, ils se détachent de l'émotion elles-même. Au lieu d'en être le flot propagateur, ils tendent à l'endiguer, à lui imposer des compartiments qui brisent sa puissance totalisatrice et contagieuse. Dès que la mimique devient langage et convention, elle multiplie les nuances, les complicités tacites, les sous-entendus et subtilise, à l'encontre du raptus unanime qu'est une émotion authentique.

Entre l'émotion et l'activité intellectuelle, même évolution, même antagonisme. Avant toute analyse, le sens d'une situation s'impose par les activités qu'elle met en éveil, par les dispositions et attitudes qu'elle suscite. Dans le développement psychique, cette intuition pratique précède de loin le pouvoir de discrimination et de comparaison. Elle est une première forme de compréhension, mais encore toute dominée par l'intérêt du moment et engagée dans les cas particuliers. Entre individus, c'est l'accord ou la réciprocité des attitudes qui peuvent les premiers réaliser une sorte de contact et d'entente mutuels mais encore totalement absorbés par les appétits ou l'impulsivité de l'instant présent. Une image qui serve à la comparaison et à la prévision ne pourra naître de ces rapports pragmatiques et concrets qu'en réduisant graduellement la part des réactions posturales, c'est-à-dire des émotions et de l'affectivité. Inversement, chaque fois que prévaudront à nouveau des attitudes affectives et l'émotion correspondante. l'image perdra sa polyvalence, s'obnubilera, s'abolira. C'est l'effet qui s'observe habituellement chez l'adulte : réduction de l'émotion par le contrôle ou par la simple traduction intellectuelle de ses motifs ou circonstances ; mise en déroute du raisonnement et des représentations objectives par l'émotion. Chez l'enfant, le progrès est lent de ses réactions purement occasionnelles, personnelles, émotionnelles à une représentation plus stable des choses ; et les reflux sont continuels.

Dans le propre domaine de l'affectivité, des transformations sont le résultat de ce conflit. Si des théories intellectualistes des émotions ont été possibles, c'est en raison de la prépondérance acquise par les motifs et images intellectuels dans le domaine des sentiments et des passions. Leur tort est de ne pas y avoir noté la réduction simultanée de l'appareil véritablement émotionnel, d'avoir assimilé émotion et sentiment ou passion, alors que de l'une aux autres un transfert fonctionnel s'opère. Il est sous la dépendance de l'âge, chez l'enfant. Mais les plus émotifs ne deviennent pas nécessairement les plus sentimentaux ou les plus passionnés, loin de là. Il s'agit là, en effet, de types différents, qui tiennent à un équilibre différent entre les activités psychiques.

L'enfant que le sentiment sollicite n'a pas à l'égard des circonstances les réactions instantanées et directes de l'émotion. Son attitude est d'abstention et, s'il observe, c'est d'un regard lointain ou furtif qui récuse toute participation active aux relations qui s'enchaînent autour de lui. Tenter de l'y entraîner, c'est le mettre de mauvaise humeur ; il est grognon par manque d'aptitude et de goût aux échanges impromptus avec autrui. Il semble fermer sur lui-même le circuit de ses impressions ; s'absorbant souvent à téter son pouce, il les rumine en lui-même. Cette période dc début, défensive et négative, ne pourra se modifier qu'avec l'apparition et le progrès des représentations mentales qui fourniront à ses rêvasseries des motifs et des thèmes plus ou moins inactuels.

La passion peut être vive et profonde chez l'enfant. Mais avec elle apparaît le pouvoir de rendre l'émotion silencieuse. Elle suppose donc, pour se développer, le contrôle de la personne sur elle-même et ne peut anticiper sur l'opposition nettement éprouvée de soi et d'autrui, dont la conscience ne se produit pas avant 3 ans. Alors l'enfant devient capable de mûrir secrètement de frénétiques jalousies, des attachements exclusifs, des ambitions peut-être vagues, mais d'autant plus exigeantes. L'âge suivant, de relations plus objectives avec l'entourage, pourra les atténuer. Elles n'en sont pas moins révélatrices d'un tempérament.

Sans doute le sentiment et surtout la passion seront d'autant plus tenaces, persévérants, absolus qu'ils rayonneront une affectivité plus ardente, où continuent d'opérer certaines des réactions, tout au moins végétatives, de l'émotion. Ils n'en sont pas moins la réduction par d'autres influences de l'émotion actualisée. Ils sont le résultat d'une interférence ou même de conflits entre des effets qui appartiennent à la vie organique et posturale et d'autres qui relèvent de la représentation, ou connaissance, et de la personne.

CHAPITRE 10

L'ACTE MOTEUR

Parmi les moyens que l'être vivant a de réagir sur le milieu, le mouvement est celui qui doit aux progrès de son organisation dans le règne animal et chez l'homme une efficacité et une prépondérance telles que ses effets ont pu être considérés par les behaviouristes comme l'objet exclusif de la psychologie. Mais cette limitation même impose d'attribuer au mouvement des significations extrêmement diverses. Il serait dérisoire, en effet, de limiter celle du langage, par exemple, au simple fait de la phonation et de ne pas distinguer entre des gestes, même extérieurement semblables, suivant les situations qui les motivent et le genre de résultats auxquels ils tendent. Ramené aux contractions musculaires qui le produisent ou aux déplacements dans l'espace qui s'ensuivent, le mouvement n'est en effet qu'une abstraction physiologique ou mécanique. Le psychologue ne saurait le dissocier des ensembles, qui répondent à l'acte dont il est l'instrument.

Par lui, l'acte s'insère dans l'instant présent. Mais il peut, tantôt n'appartenir par ses conditions et ses buts qu'à l'environnement concret : c'est l'acte moteur proprement dit ; tantôt tendre à des fins actuellement irréalisables ou supposer des moyens qui ne dépendent ni des circonstances brutes ni des capacités motrices du sujet : d'immédiatement efficient, le mouvement devient alors technique ou symbolique et se réfère au plan de la représentation et de la connaissance. Ce passage ne semble s'opérer que dans l'espèce humaine. Au moment où il se produit chez l'enfant, il entraîne une brusque différence entre ses aptitudes et celles des animaux les plus proches de l'homme. Le mouvement lui-même présente une double progression : l'une qui regarde son agilité, souvent remarquable chez l'animal ; l'autre relative au niveau de l'action qui l'utilise. Entre les deux séries, il y a d'ailleurs des zones où la distinction est malaisée : par exemple l'adaptation des structures motrices aux structures du monde extérieur est bien liée à l'exercice de centres nerveux qui assurent la régulation physiologique du mouvement, mais elle a pour seconde condition l'image de l'objet et celle-ci peut appartenir à des niveaux plus ou moins élevés de la représentation perceptive ou intellectuelle.

***

Le mouvement commence dès la vie fœtale. Dans l'ontogenèse, en effet, les fonctions s'ébauchent avec le développement des tissus et des organes correspondants, avant de pouvoir se justifier par l'usage. C'est vers le quatrième mois de la grossesse que les premiers déplacements actifs de l'enfant sont perçus par la mère. Sur des fœtus de différents âges, maintenus en vie aussi longtemps que possible, Minkowski (de Zurich) a cherché quelles étaient les étapes successives de la motilité prénatale. Bien qu'elle soit prompte à s'altérer en même temps que la vitalité s'éteint, il a pu reconnaître qu'elle est constituée par des systèmes plus ou moins étendus de gestes et d'attitudes, mais susceptibles, l'excitation restant la même, d'intermittences et de variations. Le déterminisme en est donc inconstant, ce qui s'explique sans doute par l'inachèvement des structures anatomiques et fonctionnelles. Le circuit où se propage le stimulus n'a pas encore de fermes contours et le laisse facilement diffuser dans d'autres, eux-mêmes insuffisamment différenciés. En même temps la réaction, bien que souvent trop extensive, garde quelque chose de partiel par défaut de coordination entre les différents domaines ou systèmes de l'organisme, qui ne constitue lui-même qu'un ensemble sans cohésion.

La variabilité qui en résulte est à l'opposé de celle qui s'observera dans une organisation plus complexe et plus complète du système nerveux. Ici, elle a quelque chose de fortuit ou, du moins, elle reflète des fluctuations très générales dans les dispositions organiques. Elle est au contraire appropriée à la diversité des circonstances et des besoins, lorsque l'intégration mutuelle des domaines et systèmes fonctionnels rend possible un accord sélectif entre une excitation aux sources plus diverses, des appétits plus nuancés et des réactions plus polymorphes.

A la naissance persistent, en réponse à des stimulations déterminées, des systèmes définis de gestes et d'attitudes. Ce sont en particulier les réflexes cervicaux et les réflexes labyrinthiques de Magnus et Kleijn, qui sont provoqués, ceux-ci par l'excitation vestibulaire résultant d'un déplacement rapide du corps selon une direction donnée de l'espace, ceux-là par le pivotement des premières vertèbres cervicales. Ils consistent, les uns et les autres, en certains rapports de position entre la tête et les membres. Ici encore, comme antérieurement chez le fœtus, l'effet ne suit pas toujours l'excitation appropriée, mais c'est pour une raison inverse. Il s'obtient avec d'autant plus de certitude qu'il s'agit d'un enfant prématuré, ou s'il y a destruction de certaines connexions nerveuses, à la suite, par exemple, d'un traumatisme obstétrical. La cause de son inconstance est donc alors sa suspension éventuelle par des centres inhibiteurs, à l'égard desquels sa subordination n'est pas encore complète, même chez un nouveau-né normal. L'intermittence d'une réaction peut ainsi tenir, soit à l'inachèvement relatif et à l'indétermination persistante du circuit correspondant, soit au contraire à son intégration déjà commencée dans un système plus évolué de mouvements.

Les gesticulations spontanées du nouveau-né ont été comparées tantôt à des substitutions soudaines et saccadées d'attitudes entre elles, tantôt à des automatismes ou fragments d'automatismes, qui fonctionneraient déjà comme pourra l'exiger plus tard la fonction pleinement réalisée. En fait, les activités musculaires sont encore mal délimitées. La tétanisation rapide du muscle par l'excitation électrique a fait comparer sa contraction à celle de la fatigue et l'a fait rapprocher de la crampe ou du spasme. C'est-à-dire qu'il y a peu d'intervalle entre la secousse clonique et la contracture, la fusion étant encore très facile entre ces deux activités fondamentales du muscle : raccourcissement et tonus, mouvement proprement dit et posture. Pour chacune d'elles, d'ailleurs, des semaines et des mois passeront avant que les conditions de leur exercice pleinement efficace et différencié ne soient réalisées.

Sur le muscle, en effet, converge l'action alternante ou combinée de centres divers. Ce n'est pas sa seule structure qui suffirait à rendre compte des effets contractiles dont il est le siège. Selon Bottazi, ses deux éléments constituants, les myofibrilles et le sarcoplasme, seraient l'instrument, les unes de l'activité clonique, l'autre du tonus ; ainsi s'expliquerait la différence fonctionnelle par une différence d'organes. Mais le tonus est loin d'être simple. Enregistrés par l'oscillographe, les courants d'action qui lui répondent sont de rythme très variable ; son rôle dans le mécanisme moteur est divers ; enfin la pathologie montre qu'il se dissocie en formes différentes de contracture suivant le niveau des lésions qui viennent à isoler entre eux ses centres régulateurs. Il est donc à tout instant le résultat, modifiable suivant les cas et les besoins, d'influx aux sources multiples.

Chez l'enfant, c'est seulement par étapes successives que cette fonction complexe du tonus parvient à son achèvement. Les centres nerveux dont elle dépend n'arrivent pas tous en même temps à maturation. Leur équilibre fonctionnel change avec l'âge. Il peut même y persister des différences selon les individus. Il en résulte des types moteurs et aussi des types psychomoteurs différents, les relations entre les manifestations du tonus et le psychisme étant étroites par l'intermédiaire de l'équilibre, des attitudes et par suite des connexions serrées qui existent dans le moyen cerveau entre les centres de la sensibilité affective et ceux des différents automatismes où les fonctions de posture ont un rôle considérable. C'est ainsi que j'ai pu distinguer des types extrapyramidal inférieur, moyen et supérieur.

Ce n'est pas seulement la nature, c'est aussi la distribution périphérique du tonus qui se modifie au cours de l'enfance. Homburger a pu décrire un type moteur infantile chez des sujets qui conservent au-delà de l'âge normal certaines postures habituelles. Les membres inférieurs du nouveau-né sont en cerceau et ses pieds tendent à se mettre en ciseaux. Les avant-bras sont fléchis. Les paumes des mains sont tournées vers le menton et non vers le thorax ; plus tard, quand les avant-bras s'étendent, elles regardent en arrière et non vers l'axe du corps. L'extension dorsale du gros orteil, qui est normale dans les premiers mois, a cet intérêt particulier d'être assimilable à un réflexe décrit par Babinski comme pathologique chez l'adulte. En effet une lésion qui interrompt la continuité du faisceau pyramidal, par où les incitations motrices de l'écorce cérébrale sont transmises à la moelle, entraîne un renversement dans la position réflexe que prend le gros orteil quand on effleure le bord externe du pied : il se redresse, au lieu de se fléchir vers la plante du pied comme à l'état normal. Chez l'enfant, l'extension fait place à la flexion vers 7 ou 8 mois, lorsque la myélinisation du faisceau pyramidal, qui progresse de haut en bas, lui permet de mener jusqu'aux centres médullaires des membres inférieurs les incitations de l'écorce. C'est là un exemple net du changement que l'intégration de centres nerveux à d'autres peut faire subir à des réactions périphériques. Souvent d'ailleurs le changement présente des alternatives successives : durant quelques heures ou même deux ou trois jours après la naissance, la position que prend le gros orteil est la flexion ; l'intervention des incitations pyramidales ne fait donc que rétablir la réaction initiale. Ainsi le même effet périphérique peut-il répondre, suivant le stade de développement où il se produit, à des conditlons différentes.

L'étude des mouvements proprement dits permet de le vérifier. Il n'y a aucune raison, par exemple, pour voir dans le pédalage du nouveau-né le geste déjà tout constitué de la marche, puisqu'elle n'apparaîtra pas avant de longs mois, au cours desquels entreront successivement en jeu de nouveaux centres nerveux, tandis que se modifiera de façon visible l'agitation des membres inférieurs. Comment d'ailleurs isoler aucun des automatismes élémentaires, dans lesquels se décomposerait la marche, de son équilibre total, où leur fusion doit être de tous les instants, et dont le maintien suppose l'intégration la plus stricte des activités musculaires à ses organes régulateurs ? Pour les mains, il en va de même. Quand elles se crispent sur l'objet qui touche la paume, il n'y a pas encore préhension, mais tout au plus réflexe d'agrippement. Le geste du pied à la recherche d'un contact, d'un support, alors que l'autre vient de se poser, est davantage geste de grimper que de marcher. D'un acte à celui qui vient plus tard, assurément des mouvements se transmettent, mais transformés par cela même qu'ils s'intègrent à d'autres systèmes et obéissent à d'autres nécessités.

Il est souvent possible d'assister au conflit de systèmes successifs entre eux. En s'agitant dans sa baignoire l'enfant voit le bouchon s'éloigner ; il ne peut d'abord que refaire les mêmes gestes ; puis il arrive à orienter le mouvement de son bras dans la direction du bouchon, mais en tenant le poing crispé, et il l'écarte encore de lui. C'est dans la suite seulement qu'il parviendra à lancer sa main ouverte et à ne la fermer que sur le bouchon. La réduction des obstacles que ces mouvements s'opposent entre eux exige l'avènement d'une formule nouvelle, qui n'est pas la simple addition d'éléments primitivement distincts. Les exercices qui précèdent la marche offrent un exemple semblable. Assurément, il est loisible de reconnaître dans la suite des rétablissements dont l'enfant devient successivement capable l'avènement d'aptitudes indispensables à la marche. Mais ils ne sont pas, comme on l'a dit, les fragments déjà tout prêts de la locomotion bipède et verticale. Ils appartiennent à des systèmes actuels de comportement dans l'espace, ou même de locomotion, qui pourront un jour entrer en opposition avec la marche, comme chez ces enfants qu'il faut empêcher de courir à quatre pattes pour les mettre dans la nécessité de se dresser sur leurs jambes. Un mouvement ne se construit pas comme un édifice de morceaux taillés selon son plan ; il faut qu'il substitue son propre plan à ceux des activités antérieures.

La tendance commune est de considérer le clavier musculaire comme primitivement composé d'éléments simples dont les combinaisons diverses donneraient toute la série des mouvements. Mais, s'il y a effectivement des centres dont l'excitation permet de faire contracter par menues parcelles l'appareil musculaire dans toute son étendue, ce sont les centres les plus élevés, les centres de l'écorce cérébrale, c'est-à-dire les derniers à se développer dans la série animale, les derniers à pouvoir fonctionner chez l'individu. Avant eux entrent en jeu les centres qui ordonnent des ensembles plus ou moins étendus d'attitudes et de gestes, ce qu'on appelle, d'un terme un peu confus, les automatismes naturels. La circonvolution motrice de l'écorce où se projettent distinctement les différentes régions de l'appareil musculaire est sans aucun doute un instrument à analyser les mouvements. Cette analyse n'en exige pas moins un apprentissage plein de vigilance. Elle est une opération seconde et en quelque mesure artificielle. Qu'une rupture pathologique se produise entre la circonvolution motrice et les centres sous-jacents, le sujet se retrouve devant de véritables blocs de contractions musculaires qu'il ne sait plus limiter ni manier.

L'enfant, lui aussi, est d'abord aux prises avec des ensembles de gestes. Les premiers apparus sont les plus diffus et les plus massifs. Il lui faudra longtemps avant d'arriver à les dissocier en systèmes plus particuliers et plus capables de s'approprier à la diversité des choses et des circonstances. En présence d'une tâche nouvelle, il doit lutter contre des *syncinésies*, c'est-à-dire contre le groupe moteur auquel appartient le mouvement opportun et qui souvent l'alourdit, le rend imprécis, le paralyse. Dissoudre une syncinésie est chez l'adulte et, pour une bonne part chez l'enfant, une affaire d'exercice, mais qui suit et qui ne saurait devancer la maturation fonctionnelle. Les premiers gestes sont bilatéraux ; c'est seulement plusieurs semaines après la naissance qu'on en constate d'unilatéraux (M. Bergeron). Le contrôle que peut avoir l'enfant sur ses mouvements, c'est-à-dire le pouvoir de les inhiber, de les sélectionner, de les modifier, soit une progression régionale, qui montre bien sa dépendance à l'égard de l'évolution physiologique. Il commence à s'exercer dans la région supérieure du corps et dans la partie proximale des membres ; ne se manifeste que plus tardivement en bas et aux extrémités distales (Mme Shirley). L'action du faisceau pyramidal ne peut, en effet, se faire sentir qu'avec l'achèvement de sa myélinisation, qui va du corps cellulaire vers la périphérie, et qui est plus courte pour les voies courtes, plus longue pour les voies longues. Tournay a en outre montré qu'elle est, chez les droitiers, plus précoce de quelques semaines à droite qu'à gauche.

Une autre délimitation des mouvements, sans laquelle ils n'auraient aucune précision, est celle qui consiste, à tout instant de leur exécution, dans une exacte répartition du mouvement lui-même et des attitudes correspondantes. Ces attitudes sont de deux sortes. Les unes relèvent de la contraction tonique qui accompagne le déplacement du membre en mouvement, qui en soutient les positions successives, sans laquelle il manquerait de continuité et de résistance. Il peut arriver que, le mouvement s'arrêtant soudain, l'attitude où il a mis le corps se maintienne d'elle-même, ou qu'elle soit seule à subsister, faisant entrave au mouvement, comme dans ces états appelés catatoniques et dans certaines manifestations de stupeur. Elle manque, au contraire, aux mouvements du jeune enfant, qui sont lancés dans l'espace et retombent sitôt l'impulsion première épuisée. Inversement, A. Colin a montré chez le nourrisson des tendances à la catatonie. Les deux fonctions, tonique et clonique, ne sont pas encore intégrées l'une à l'autre.

Une seconde espèce d'attitudes résulte des contractions toniques qui se produisent à propos de chaque mouvement dans les parties du corps qui ne sont pas en mouvement.

Comme elles font défaut chez le jeune enfant, il se trouve entraîné par chacun de ses gestes. Incapable de s'immobiliser lui-même, il doit être retenu pour ne pas tomber. Cette inaptitude dure très longtemps. L'immobilisation des régions en apparence inactives est en réalité une action extrêmement complexe. Toute partie du corps qui se déplace tend à en déplacer le centre de gravité. Pour éviter la perte d'équilibre, une résistance doit se produire, qui est précisément une contraction compensatrice dans les parties restantes et de préférence vers l'axe du corps, le long du rachis, dans les muscles qui le soutiennent et dont la fonction prépondérante est tonique : ce sont là essentiellement les muscles de l'équilibre.

La résistance doit varier non seulement avec l'amplitude et l'envergure du geste, mais aussi avec les résistances qu'il peut lui-même rencontrer dans l'espace. L'ajustement de l'une aux autres est mis en évidence, quand celles-ci viennent à céder brusquement, par le déséquilibre qui en résulte et dont la fréquence est d'autant plus grande chez l'enfant qu'il reste moins capable d'un réajustement rapide.

La difficulté est plus grande encore quand, au lieu de pouvoir s'immobiliser, le corps dans son entier est en mouvement. Alors les contractions compensatrices de chaque déplacement partiel doivent se combiner à l'élan de l'ensemble, de manière à s'y fondre harmonieusement, dans une sorte d'équilibre fluide et progressif. C'est ce qui se produit dans la marche et dans les actions qui en dérivent : course, danse, saut, etc. Faute d'une stricte synergie entre les compensations toniques et la succession continue des gestes, il se produit des accrocs capables d'entraver complètement la marche. Ainsi, dans l'ivresse, le poids de la jambe qui a quitté le sol entraîne le corps de son côté et l'alternance de ce déséquilibre rend la démarche festonnante. Le petit enfant présente des effets semblables : sa démarche est festonnante, c'est-à-dire entraînée par le poids du corps lancé en avant. « Il court après son centre de gravité. » Faute de savoir encore renverser l'équilibre par les contractions appropriées, il ne peut souvent s'arrêter qu'en prenant appui sur l'obstacle. Il n'évite de festonner ou de tomber qu'en écartant les jambes, de manière à élargir sa base de sustentation.

L'accord des réactions posturales et du mouvement se traduit encore, dans les opérations qui exigent de la précision et de la fermeté, par la substitution graduelle de l'attitude au geste. S'il s'agit de saisir ou de manier un objet menu, les grands déplacements du corps et des membres doivent petit à petit se réduire à la seule agitation des doigts. Mais l'immobilisation des autres articles n'est pas neutre ; elle doit à chaque instant fournir le support souple ou rigide, fixe ou plastique qu'exige chaque étape de la manipulation. Cette aptitude fait longtemps défaut chez l'enfant. Ses mouvements dépassent le but, sont sujets à des oscillations de trop grande amplitude, par suite de son impuissance à localiser le geste, en fixant les parties du corps qui doivent lui donner un point d'appui. Sa main a d'abord un mouvement de plane au-dessus de l'objet, puis se jette sur lui toute étendue et enfin le serre de façon massive.

Toutes ces insuffisances d'ajustement entre les actions cloniques et toniques sont des manifestations d'asynergie. Elles appartiennent à la pathologie du cervelet et, chez l'enfant, au retard de sa maturation. Ce retard peut en certains cas dépasser l'âge normal et même se prolonger en débilité durable de la fonction. Aussi a-t-on pu décrire un type moteur asynergique qui n'est pas sans concomitants psychologiques.

Un mouvement quelconque ne peut être distingué de sa projection dans l'espace. Son orientation appartient à sa structure. Il y a un espace moteur, qui d'ailleurs n'est pas encore l'espace représenté ni l'espace conceptuel, contrairement à l'opinion commune, qui unit des niveaux fonctionnels différents et en fait une réalité immuable, nécessaire, s'imposant d'elle-même et en une fois. Il n'y a pas lieu d'opposer le mouvement à un milieu en soi où il aurait à trouver secondairement ses déterminations locales. Il implique par son existence même le milieu où il doit se déployer. Il n'est pas tâtonnant d'emblée, il le devient par expérience. Sans doute lui faut-il être guidé. Mais il ne peut l'être qu'une fois franchi un certain seuil fonctionnel. Tournay a montré qu'avant une date qui lui semble répondre à l'entrée en fonction du faisceau pyramidal, la main de l'enfant traverse son champ visuel sans attirer le moins du monde son attention. Une fois la jonction faite entre le champ visuel et le champ moteur, l'œil suit la main, puis la guide. D'autres accords plus complexes entre le mouvement et ses buts surviennent par étapes successives, ainsi son adaptation à la structure et à l'usage des objets. Elle n'est pas le simple résultat d'essais fortuits ou expérimentaux. Une lésion de centres nerveux déterminés pouvant l'abolir chez l'adulte, elle exige évidemment chez l'enfant la possibilité de les utiliser, de les aménager, donc leur maturation fonctionnelle. Il en va de même pour l'aptitude à faire surgir du champ perceptivo-moteur les solutions qui permettront de tourner l'obstacle ou de remédier à l'insuffisance des forces naturelles par l'emploi d'un instrument. Elle présente des degrés très différents suivant les espèces animales et, dans la même espèce, d'un individu à l'autre.

A ces activités répondent des niveaux différents d'organisation fonctionnelle. Ils sont un fait d'évolution. Pour si nécessaire qu'il soit, l'apprentissage à lui seul ne peut y suppléer. Ces activités sont d'ailleurs des actes complets, des conduites ayant leur objectif propre et le choix des moyens. La part des circonstances qu'elles subissent et qu'elles peuvent consteller augmente avec leur complexité. Leur étude suppose celle des motivations d'où elles dépendent.

Les actes du niveau le plus bas sont les impulsions, où les motivations sont au minimum. Il semble de décharges motrices s'effectuant pour elles-mêmes. Le degré de leur simplicité ou de leur complexité dépend des systèmes que l'évolution naturelle ou l'usage ont rendus coutumiers. Chez l'adulte, ils peuvent être composés d'opérations automatiques qui s'engrènent entre elles. Chez l'enfant n'entrent encore en jeu que de simples éjaculations motrices et vocales ou des réactions qui s'apparentent aux gestes spontanés d'agression, de prédation alimentaire ou autre, de défense. Dans tous les cas, l'occasion en est insignifiante. Ils sont comme l'effet d'une auto-activation, d'une incontinence, d'un échappement aux contrôles habituels de la conduite. Ces contrôles sont encore débiles et inorganisés chez l'enfant, ils peuvent être désorganisés chez l'adulte par des vicissitudes intimes ou physiologiques. La rafale passe, sans plus laisser de motifs à l'activité subséquente que l'activité antérieure ne lui en fournissait.

Les premières motivations paraissent le fait d'un effet sensoriel dont semble soudain s'aviser l'enfant et qu'il essaie de reproduire. Par exemple, sa main passant dans son champ visuel, vient le moment où il l'immobilise devant ses yeux, l'écarte et la ramène, puis apprend à l'agiter de différentes façons, comme avide d'en repérer les aspects et les déplacements. La sensation n'est retenue, discriminée, identifiée qu'à l'instant où l'enfant devient capable de la reproduire par des gestes appropriés. Autrement, elle reste indistincte parmi les impressions indistinctes, où se mêlent ce qui relève de l'excitation et ce qui relève de la réaction réflexe. Ainsi se nouent des réactions circulaires où la sensation suscite le geste propre à la faire durer ou à la reproduire, tandis que le geste doit s'approprier à elle pour la rendre reconnaissable, puis pour la diversifier méthodiquement. Cet ajustement précis du geste à son effet instaure entre le mouvement et les impressions extérieures, entre les sensibilités proprio et extéroceptives des systèmes de relations qui les différencient et les opposent dans la mesure même où ils les combinent en séries minutieusement liées.

Les conséquences de cet exercice mutuel sont considérables. Il en résulte d'abord la formation de matériels sensori-moteurs qui rendront possibles de dépasser les activités brutes des appareils moteur et sensoriel. L'œil et la main se trouveront être étroitement associés pour l'exploration et le maniement des choses ambiantes. Mais l'exemple le plus frappant est sans doute celui des séries auditives et vocales que le petit enfant passe de longs instants à constituer par son gazouillis. Le son qu'il a plus ou moins fortuitement produit est répété, affiné, modifié et finit par se développer en longues suites de phonèmes où les lois et les joies de l'ouïe se font de plus en plus reconnaissables dans la formation des sons.

Cependant, la prépondérance initiale des incitations motrices est décelable aux étapes par lesquelles passe le gazouillis. Tour à tour entrent en jeu les sons pouvant être produits par les lèvres, dont les mouvements sont dès la naissance déjà si bien réglés dans la tétée ; ceux qui donnent le maximum d'impressions musculaires aux parties mobiles de la cavité buccale, en raclant le voile du palais, c'est-à-dire les gutturales (Ronjat) ; ceux qui sont l'effet des battements de la langue contre le palais ou lallation ; puis de ses pressions contre les gencives, sous l'influence, croit P. Guillaume, de l'irritation causée par la poussée dentaire. En même temps, les vocalisations se font plus nuancées et souvent exquises, allant parfois jusqu'à la vocalisation la plus parfaite des consonnes. La richesse de ce matériel phonétique répondrait au matériel de toutes les langues parlées et le dépasserait sans doute (Grammont, Ronjat). La langue maternelle de l'enfant n'aura donc qu'à y puiser selon ses besoins. Mais avant que l'enfant ne sache lui-même grouper les phonèmes en mots, la fine individualisation des sons résultant de ces échanges sensitivo-moteurs le rend capable de discerner les subtiles différences auxquelles les mots doivent leur structure et leur physionomie, leur intérêt augmentant à mesure qu'il devient plus capable de leur donner une signification. Ainsi ce qui procédait d'abord du mouvement donne ses premiers résultats dans la perception.

Une autre conséquence de la conjugaison entre effets sensoriels et mouvements, c'est d'unir entre eux les différents champs sensoriels. Le mouvement leur constitue un dénominateur commun, les changements qu'il produit pouvant être perceptibles simultanément dans plusieurs. Assurément, un certain degré de maturation fonctionnelle est nécessaire pour que cette simultanéité soit reconnue. Gordon Holmes a en effet montré qu'elle cesse de l'être après certaines lésions cérébrales. Chez l'enfant, c'est au mouvement que sont dus les effets corrélativement enregistrables dans le domaine des différents sens. Il constitue un moyen nouveau de coordination dans le monde des impressions, en permettant de grouper celles qui sont relatives à une même présence, à une même existence, à un même objet, de suivre ce qui se déplace d'un champ sensoriel à un autre, d'anticiper d'une impression sur l'autre, bref de substituer la permanence de la cause au polymorphisme et à la fugacité des impressions.

La progressive reconnaissance des choses selon les étapes du mouvement peut être illustrée par la succession des trois espaces dans lesquels W. Stern inscrivait la découverte du monde par l'enfant. D'abord l'espace buccal : c'est à sa bouche que le nourrisson porte tout objet, non pour le manger, mais comme au seul lieu de son corps où l'accord exact des mouvements et des sensations, exigé dès la naissance par la succion, permet aussi d'apprécier un contour, un volume, une résistance, tout cela encore confus évidemment et confondu avec d'autres qualités éventuelles, telles que température ou goût. Dès que vient le moment où ses gestes ne sont plus purement et simplement lancés dans l'espace et où ses mains peuvent suivre une direction, saisir, se concerter, l'enfant prend possession de l'espace proche. Mais c'est seulement quand il devient capable d'autolocomotion que son espace cesse d'être une simple collection d'environnements successifs. Car leur continuité, leur fusion, leur réduction à une même étendue, où les objets soient distribués selon des échelonnements variables, sont une opération irréalisable tant qu'il ne peut, par ses propres mouvements, réduire les distances, transmuter entre elles les différentes aires de sa vie familière, s'aventurer dans l'inconnu, et tout ramener enfin à la mesure de ses pas actuels ou éventuels.

Ces résultats ne sont évidemment pas le produit automatique d'activités ou de combinaisons sensorimotrices. Au contraire, ces activités, livrées à elles-mêmes, tournent sur elles-mêmes, comme il arrive chez certaine catégorie d'idiots qui s'enferment indéfiniment dans le cycle des mêmes exercices, où ils peuvent d'ailleurs atteindre la plus vaine des perfections. Ces occupations stéréotypées ne sont pourtant pas sans quelque rapport avec l'acquisition des habitudes. Le goût de la répétition, le plaisir des actes ou des choses retrouvés sont manifestes chez le petit enfant. Il leur doit sa persévérance indispensable d'apprentissage. Ainsi l'accaparent, de longs instants, des opérations purement ludiques. Tant que la matière et les moyens en restent les mêmes, elles ne tendent à lui faire acquérir qu'une virtuosité purement formelle. Mais l'appétit d'investigation qui entraîne tout enfant normal l'incite à des transferts, au cours desquels se dégage la formule de l'acte. Myers a insisté sur leur importance. Ils représentent le seul progrès qu'une habitude puisse transmettre à l'activité générale. Ils peuvent, par voie d'assimilation ou de confusion — mais de confusion adaptée — appliquer l'acte appris à de nouveaux objets. Ils peuvent aussi en transmettre l'exécution à d'autres organes : changement de main pour la même opération, exécution avec le pied de ce que faisait la main. C'est, au dire de Katz, un progrès signalé que de pouvoir réaliser avec une seule main ce qui était l'œuvre des deux.

Essentiellement entraînée vers l'établissement de relations entre les mouvements et tout ce qui peut y répondre dans les différents champs sensoriels, vers la substitution aux impressions proprioceptives d'effets extéroceptifs, ou, inversement, de schèmes proprioceptifs aux circonstances extérieures du mouvement, comme c'est le cas dans l'apprentissage des automatismes et l'acquisition des habitudes, l'activité sensorimotrice se déploie sans doute dans l'espace, qu'elle contribue même à faire percevoir un et homogène, mais elle n'y a encore que des objectifs occasionnels. C'est à d'autres activités qu'il appartient d'y placer des buts et d'y confronter avec eux leurs moyens.

L'attrait qu'éprouve l'enfant pour les personnes qui l'entourent est un des plus précoces et des plus puissants. La dépendance totale où le mettent ses besoins vis-à-vis d'elles le rend très vite sensible aux indices de leurs dispositions à son égard et réciproquement aux résultats obtenus d'elles par ses propres manifestations. D'où, au seuil de sa vie psychique, une sorte de consonance pratique avec autrui. D'irréfléchie, cette consonance pourra devenir plus délibérée à mesure que les progrès de son activité lui donneront les moyens de se distinguer soi-même et de s'opposer. Alors l'appartenance fera place à l'individualisation, et le simple conformisme à l'imitation. Les premiers objectifs, poursuivis pour eux-mêmes, qui règlent de l'extérieur l'activité de l'enfant sont les modèles qu'il imite. C'est là une source inépuisable d'initiations, qui lui font déborder, souvent d'ailleurs de façon toute formelle, le cadre des occupations auxquelles peuvent directement l'inciter ses besoins.

Chez l'animal, même chez le singe, l'imitation est rare, du moins comme emprunt opportun d'un procédé nouveau. Elle n'est pas à confondre, en effet, avec les réactions similaires d'animaux à comportement analogue en présence des mêmes circonstances. Des réflexes identiques, les exigences impératives d'une situation, les facilités ou les suggestions de maniement qu'offre un objet suffisent à expliquer chez deux animaux rassemblés l'apparition simultanée ou alternée des mêmes gestes. Toutefois, il n'est pas certain que ceux de l'un soient sans influence sur ceux de l'autre. Un petit enfant commence par ne savoir reproduire les mouvements ou les sons émis devant lui que s'il vient lui-même de les exécuter spontanément. Il faut alors que l'acte à imiter se survive dans l'appareil moteur, pour que l'imitation s'effectue. Elle en est pourtant le nouveau motif. Ainsi voit-on deux animaux, comme à plaisir, répéter tour à tour un geste auquel, seuls, ils ne se seraient pas attardés. Ce que l'occasion avait suscité, l'imitation le fait réitérer. C'est là un début, qui n'est pas sans importance, même quand il n'est pas dépassé. Il ajoute aux gestes spontanés une motivation nouvelle ; entre eux s'opère ainsi une sélection selon qu'ils se rencontrent ou non chez deux êtres qui se fréquentent. Par leur moyen s'instaure de l'un à l'autre une sorte de conformisme mutuel.

Le propre et la nouveauté de l'imitation, c'est l'induction de l'acte par un modèle extérieur. Il y a donc non-sens à lui donner comme origine « l'imitation de soi-même ». Certaines lésions nerveuses rendent incoercible la répétition par le sujet de ce qu'il vient de faire : selon qu'il s'agit de gestes ou de paroles, c'est la *palicinésie* ou la *palilalie*. Elle peut être aussi un fait de simple distraction et quelquefois se changer en tic. A l'état normal elle est utilisée suivant les besoins. Mais ses connexions nerveuses ne répondent en aucune façon à celles de l'imitation. La tendance d'un acte à se répéter se présente encore sous forme de *persévération*. Fréquente chez l'enfant, elle dénote un certain degré d'inertie mentale et la prépondérance de l'exécution sur l'idéation motrice. Elle est, dans la même mesure, en opposition avec ce modelage du mouvement sur une intuition ou sur une image qu'est l'imitation.

Toute reproduction d'une impression sensorielle d'origine étrangère ne mérite d'ailleurs pas d'être mise au rang de l'imitation. Ainsi la répétition immédiatement consécutive et comme en écho du geste ou du son qui viennent d'être vu ou entendu est bien plus proche de la simple activité circulaire. L'effet sensoriel d'un mouvement qui l'incite à se renouveler se lie bientôt si étroitement à lui qu'il l'amènera à s'effectuer même sans avoir été d'abord produit par lui. L'initiative passant à la sensation, l'appareil moteur devient capable de répercuter des impressions sonores ou visuelles d'origine quelconque, pourvu qu'elles lui soient familières. Mais la liaison n'est qu'entre des éléments particuliers dans les deux séries motrice et sensorielle. Aussi l'*échocinésie* et l'*écholalie* ne sont-elles la répétition que des termes sur lesquels s'achève une suite de gestes ou de sons, le passage au mouvement de ceux qui précédaient étant empêché, tant que les impressions se renouvellent, par leur succession trop rapide. Ce genre d'incidences sensori-motrices est d'un niveau tellement bas que sa réactivation chez l'adulte est en rapport avec une dissolution avancée des activités mentales. Elle répond aux états de confusion et parfois de distraction, où s'est perdu le pouvoir d'organiser des ensembles et de saisir des significations.

Il n'y a pas imitation, en effet, tant qu'il n'y a pas perception, c'est-à-dire subordination des éléments sensoriels à un ensemble.

C'est à la reconstitution de l'ensemble qu'elle s'attaque. Ce qui pourrait donner le change, c'est qu'elle a parmi ses procédés celui de la copie littérale. Mais la reproduction de chaque trait successivement suppose une intuition latente du modèle global, c'est-à-dire son aperception et sa compréhension préalables, faute de quoi elle ne donne que des résultats incohérents. Si mécanique soit-elle dans l'application, elle répond à un niveau déjà complexe de l'imitation. Elle suppose le pouvoir de suivre une consigne, une technique et la capacité toujours en éveil de comparer, c'est-à-dire de se dédoubler dans l'action, opérations que seule une étape déjà avancée de l'évolution psychique peut rendre possibles.

Dans ses imitations spontanées, l'enfant n'a pas une image abstraite ou objective du modèle. Loin de savoir se l'opposer, il commence par s'unir à lui dans une sorte d'intuition mimétique. Il n'imite que les personnes dont il subit profondément l'attrait ou les actions qui l'ont captivé. A la racine de ses imitations, il y a amour, admiration et aussi rivalité. Car son désir de participation se mue vite en désir de substitution ; plus souvent même les deux coexistent et lui inspirent à l'égard du modèle un sentiment ambivalent de soumission et de révolte, de fidéisme honteux et de dénigrement [1].

De source affective à ses débuts, l'imitation trouve aussi dans la participation au modèle ses premiers moyens de le percevoir en se l'assimilant. Elle n'est la reproduction ni immédiate ni littérale des traits observés. Entre l'observation et la reproduction s'écoule habituellement une période d'incubation qui peut se compter par heures, jours ou semaines. Les impressions qui doivent mûrir pour donner les mouvements appropriés ne sont pas que visuelles ou auditives. Il suffit de regarder l'enfant en présence d'un spectacle qui l'intéresse pour reconnaître qu'il y participe par tout le jeu de ses attitudes, même quand elles semblent l'immobiliser. Par intervalles, il lui échappe des gestes furtifs qui sont, tantôt des

1. Voir IIe partie, chap. 4.

gestes de simple détente, où se marque toute l'application intime et laborieuse qu'il prête aux péripéties de la scène, tantôt des gestes d'intervention larvée, soit pour anticiper sur ce qu'il attend, soit pour corriger les insuffisances ou les erreurs qui lui semblent compromettre l'action à l'aquelle il assiste. Ainsi sa perception se double-t-elle d'une plasticité interne qui n'est encore que velléité motrice, ou posture, et d'où le mouvement effectif ne pourra pas sortir sans élaboration.

Le passage direct du mouvement au mouvement n'est possible que si le mouvement imité a pu déjà spontanément se produire sur le même plan d'activité et dans les mêmes circonstances que le mouvement à imiter, condition qui réduirait à bien peu de choses le rôle de l'imitation, dont l'importance est pourtant capitale chez l'enfant. L'acquisition du langage, par exemple, n'est qu'un long ajustement imitatif de mouvements et suites de mouvements au modèle qui, depuis de longs jours déjà, permet à l'enfant de saisir quelque chose aux propos de son entourage. Ce modèle peut même retarder sur les impressions auditives du moment. Grammont cite une petite fille dont les premiers mots sont apparus avec une désinence italienne, alors qu'elle n'entendait plus parler italien depuis plusieurs semaines. Avec un décalage beaucoup moins long entre la formulation posturale et l'éclosion du geste, la cabriole du clown que, deux ou trois jours seulement après le spectacle, l'enfant s'essaie à reproduire, est soumise à un cheminement semblable.

En route, l'imitation est sujette à subir telles déviations qui montrent que, loin d'être le décalque facile d'une image sur un mouvement, il lui faut percer, en les utilisant, à travers une masse d'habitudes motrices et de tendances qui, de proche en proche, appartiennent à ce fond d'automatismes et de rythmes personnels dont l'activité de chaque être porte l'empreinte et d'où jaillissent tant de gestes spontanés chez l'enfant. C'est eux qui servent d'intermédiaire entre l'impression du dehors qu'ils accompagnent, qu'ils cherchent à capter, et la répétition explicite du modèle. Ils servent successivement à son intériorisation et à son extériorisation. Après qu'il a été réduit à une intuition qui le dépouille plus ou moins de ses déterminations locales, il faut ensuite accomplir l'effort inverse. Où l'imitation trébuche longtemps, c'est dans la réinvention, non pas toujours des gestes eux-mêmes, mais de leur juste distribution dans le temps et dans l'espace ; c'est dans le rapport à maintenir entre l'intuition globale de l'acte et l'individualisation successive des parties. Ce pouvoir de mise en place et en série implique l'aptitude à consteller des ensembles perceptivo-moteurs. Sa nécessité s'affirme d'autant plus que les objectifs de l'activité appartiennent plus complètement à la réalité extérieure.

Les rapports de l'enfant avec les objets ne sont pas aussi simples qu'il pourrait sembler d'abord. Sa manière de les manier comporte des degrés qui ne tiennent pas uniquement à son manque d'habileté ou d'expérience motrice. La pathologie montre que les différentes qualités d'un objet peuvent continuer d'être perçues, alors qu'il a cessé d'être reconnu dans son ensemble et dans son usage. Le pouvoir perdu par le malade, l'enfant doit l'acquérir, avec cette différence qu'il doit en même temps mettre au point les éléments perceptivo-moteurs qui, chez l'adulte, ont simplement perdu leur signification commune.

Les objets de son entourage commencent par lui être une occasion de mouvements qui n'ont pas grand'chose à voir avec leur structure. Il les précipite à terre, attentif à leur disparition. Ayant appris à les saisir, il les déplace à bout de bras, comme pour exercer ses yeux à les retrouver dans chaque position nouvelle. S'ils ont des parties qui s'entre-choquent, il n'a de cesse de reproduire le son perçu, en les agitant de nouveau. Ils ne sont en somme qu'un élément sensori-moteur de plus, entrant de l'extérieur dans l'activité circulaire. Vient ensuite le moment où l'effet qu'il tire de l'un ne peut l'être de tous. Dans ses essais pour l'obtenir, il semble classer les objets suivant qu'ils présentent ou non la particularité correspondante. L'une de celles auxquelles s'attache un intérêt puissant, c'est le rapport de contenant à contenu. L'ayant découvert, l'enfant s'applique à introduire dans tout ce qui est ouverture les objets les plus hétéroclites. Il n'épargne même pas ses propres ouvertures corporelles ou celles d'autrui. L'attrait presque universel qu'exercent les chaussures à un certain âge tient peut-être en partie à leur caractère de gaine.

Si féconde que puisse être cette période pour la discrimination et l'inventaire des qualités propres aux choses, elle laisse encore l'objet de côté. Il ne s'agit que des conduites, au sens de Janet. Des conduites élémentaires qui s'inventent elles-mêmes, en utilisant les occasions les plus disparates. D'où l'impression baroque que donnent parfois les assemblages et combinaisons de l'enfant, d'ailleurs sur un fond de grande monotonie. L'exploration de l'objet lui-même ne vient que plus tard. L'intérêt se renverse alors : par un apparent paradoxe, il semble aller de l'abstrait au concret ; il va en réalité du plus au moins subjectif.

Ce n'est plus alors à une seule et même conduite ou qualité que sont ramenés les objets ; ce sont les qualités d'un seul et même objet que l'enfant s'efforce de reconnaître et d'assembler. Ces investigations dépassent le simple dénombrement. L'unité de l'objet, qui fait l'unité des traits successivement repérés en lui, n'est pas une somme, c'est une structure ayant sa signification. Apercevoir et manier une structure suppose l'aptitude à saisir et utiliser des rapports qui doivent avoir pour canevas durable le pouvoir d'imaginer chaque position comme fixe tant qu'un mouvement ne l'a pas modifiée et les mouvements eux-mêmes comme sous-tendus par une suite de positions fixes. C'est une intuition de simultanéité qui devient nécessaire ; l'expression en sera inévitablement l'espace, mais à des degrés variables de sublimation qui soient en rapport avec chaque sorte d'opération. La signification de la structure elle-même, signification d'usage ou de forme, ne peut être saisie et définie qu'en opposition ou en relation avec d'autres.

Aux combinaisons qui peuvent surgir dans l'espace sensori-moteur ressortit ce qui a été appelé intelligence pratique ou intelligence des situations, la forme d'intelligence la plus immédiate et la plus concrète. Elle semble précéder, dans l'échelle animale et dans le développement de l'enfant, la réalisation mentale de l'objet, mais ses progrès se poursuivent bien plus tard encore. Vers l'âge d'un an, l'enfant réussit à résoudre les mêmes problèmes que le chimpanzé, mais il en est de plus compliqués qui ont pu le mener jusqu'à 13 ou 14 ans, tout en restant, semble-t-il, essentiellement sur le même plan d'opérations mentales[1].

Ce sont les expériences de Kœhler, sur le comportement des singes supérieurs, qui ont donné à la question un regain d'intérêt. Chez ces animaux biologiquement très proches de l'homme, il a montré une aptitude, très inégale d'ailleurs suivant les individus, mais très supérieure à celle des autres espèces, pour réussir à s'emparer d'une proie convoitée en dépit de l'obstacle qui s'oppose à sa préhension directe. Leur force ou leur agilité mises en défaut par la résistance d'une grille ou par la distance, la plupart des animaux ne savent que renoncer, après quelques assauts furieux. Chez les anthropoïdes se manifestent très nettement d'autres conduites. Ils savent d'abord s'écarter provisoirement de l'objet ou l'écarter d'eux afin de tourner l'obstacle : c'est le procédé du détour. Ils savent aussi réduire, par l'emploi d'instruments, l'écart imposé par la distance entre l'extrême portée de leurs gestes et la proie. Ces deux conduites sont très souvent combinées. Leur étude a montré qu'elles ne sauraient être purement et simplement assimilées à ce que l'homme se représente des siennes.

Primitif ou perfectionné, banal ou spécialisé, un instrument se définit par les usages qui lui sont reconnus. Il est façonné pour eux. Il impose à ceux qui veulent s'en servir son mode d'emploi. Il existe de façon durable et indépendante. Pour qui sait qu'il existe, il faut l'aller quérir en cas de besoin. C'est un objet constitué, un objet construit selon certaines techniques en vue d'autres techniques, le produit souvent remanié d'expériences traditionnelles ou récentes dont il transmet le fruit à

---

1. André Rey, *L'intelligence pratique chez l'enfant*.

ceux qui l'utilisent. Cette forte individualisation n'appartient pas à l'instrument du chimpanzé.

Il n'est pas seulement occasionnel ; il est simple partie d'un ensemble provisoire d'où il tire toute sa signification. Si le bâton, à l'aide duquel le chimpanzé pourra faire venir à lui le morceau d'orange ou la banane, n'est pas perçu dans l'instant même de ses efforts vers eux, il restera inutile et ignoré. Non seulement il échappe à l'attention de l'animal s'il n'est pas actuellement dans le champ perceptif qui l'unit à la proie, mais, interposé entre lui et elle, il peut longtemps rester étranger aux essais de lui vers elle, et c'est brusquement qu'il est intégré à l'un d'entre eux qu'il fait réussir, comme si le désir de la friandise créait un champ de force où gestes et perceptions s'ajustent selon des lignes qui se déplacent jusqu'à ce qu'elles aient réalisé la structure favorable. L'instrument n'est instrument que dans la mesure où il est perçu, et il n'est perçu que dans celle où il est dynamiquement intégré à l'action.

Sans doute l'expérience n'est pas perdue. A l'occasion le bâton entrera plus rapidement dans d'autres structures, et, d'ailleurs, les mêmes structures tendront à se répéter. Le bâton lui-même, devenant d'un maniement familier, collectionnera, selon les circonstances, les usages les plus divers, et il deviendra une sorte de bâton magique, d'où le singe apprendra à tirer toutes sortes d'effets qui le divertissent. Il reste pourtant faiblement individualisé, même dans sa morphologie et, à son défaut, une simple lanière étendue à terre sera empoignée pour le même emploi que lui.

Un autre exemple peut montrer à quel point l'instrument reste fusionné dans l'action : celui des caisses dont le chimpanzé se sert pour approcher la banane suspendue trop haut. Sa notion de leur structure reste si informe que, s'il est amené à les superposer, il les place de la façon la plus irrégulière et dans l'équilibre le plus instable. Peu importe, pourvu qu'il ait eu le temps de prendre son élan avant qu'elles ne culbutent. Et, d'ailleurs, ce n'est pas sous l'objet à saisir qu'il les amène, mais tout juste à la distance d'où son bond sera suffisant pour l'atteindre. Ainsi leur existence propre s'abolit, en quelque sorte, dans l'intuition que l'animal a de ses forces en liaison avec les distances et les directions de l'espace. A ce niveau d'intelligence pratique, les rapports de position, d'intervalle et de dimension sont bien devenus l'essentiel, mais ils sont encore mesurés par les capacités motrices de l'animal ; leur système de référence reste essentiellement subjectif.

L'utilisation du détour [1] montre, elle aussi, cette étroite intégration du milieu à l'acte. Guillaume et Meyerson ont comparé l'imagination qu'elle suppose à celle du joueur de billard, pour qui les chocs et heurts subis par la bille se résorbent dans le mouvement qu'elle en recevra. Intuition toute dynamique, évidemment, du champ opératoire dans les deux cas. Mais la substitution de la bille au sujet, même si l'on admet la transfusion du sujet dans la bille, introduit une différence appréciable. Les essais de détour sont des gestes où l'animal ne cesse d'être présent. Ils n'impliquent donc pas, à quelques minutieuses accommodations motrices que se livre le joueur au moment de frapper la bille, le même pouvoir de prévision pure, puis d'effacement absolu devant les effets de cette prévision. Mais les gestes, qui commencent par écarter ce qui veut être saisi pour l'amener à être saisi, n'en sont pas moins la réalisation d'un trajet qui, sans être encore détaché d'eux, est en même temps déterminé par un ensemble plus ou moins compliqué de rapports dans l'espace.

Dans la mesure, en effet, où le mouvement porte en lui le milieu, il s'y confond aussi. Si tel est bien le domaine de l'acte moteur proprement dit, il peut s'y ajouter. Déjà chez l'animal s'ébauche ce qui va se déployer amplement chez l'enfant dans le jeu : le simulacre, c'est-à-dire un acte sans objet réel, bien qu'à l'image d'un acte vrai. Aussi pleinement et sérieusement que l'enfant s'adonne au jeu, il n'en méconnaît pourtant pas

1. Voir IIe partie, chap. 6.

les fictions. Bien au contraire, il en élargirait plutôt la marge. Les jouets qui lui plaisent le plus ne sont pas ceux qui ressemblent le mieux au réel, mais où sa fantaisie, sa volonté d'invention et de création sont limitées en proportion. Ce sont les jouets qui tiennent le plus de sa propre activité leur signification.

Le simulacre n'a pour lui rien d'illusoire, c'est la découverte et l'exercice d'une fonction. A l'origine c'était une simple anticipation à laquelle s'est fortuitement dérobé l'objet. Mais si elle se répète pour elle-même, alors l'acte qui s'ensuit peut bien coïncider presque exactement avec l'acte original, son but a changé. Dénué d'efficacité pratique, du moins dans l'immédiat, il n'est plus que la représentation de lui-même. Mais il est une représentation. Ou plutôt, encore identique aux mouvements qu'il représente, il confond en lui trois étapes : le réel, l'image et les signes par où peut s'exprimer l'image. Suivant le moment, suivant le degré d'évolution, c'est l'une ou l'autre de ces trois fonctions qui l'emporte. Leur coexistence initiale sous les mêmes espèces rend insensibles, mais plus faciles, leurs transmutations mutuelles et bientôt aussi, avec la différenciation fonctionnelle, la différenciation de leurs effets visibles.

Un simulacre peut être copie exacte, ou schème abstrait et déjà conventionnel. L'image qu'il rend actuelle peut être simple reviviscence, ou rappel, évocation, invocation du fait fixé en elle. Le simulacre est souvent devenu rite, c'est-à-dire intention de susciter réellement l'événement représenté. Tenant encore, par son intermédiaire, aux gestes efficaces d'où il est sorti, l'image et l'idée s'attribuent volontiers un pouvoir direct sur les choses — ce qu'on a baptisé « pouvoir magique ». Sans parler des primitifs chez qui le rite est institution, l'illusion d'efficience directe que garde l'idée a simplement pour cause une délimitation restée insuffisante comme dans l'enfance, ou redevenue insuffisante comme dans l'émotion, entre les différents domaines de la conscience.

Les gestes de symbolisation, dont le simulacre est l'exemple le plus concret, peuvent bien contribuer, dans la mesure où ils perdent leur ressemblance immédiate avec l'action ou l'objet, à entraîner l'image et l'idée hors des choses elles-mêmes, sur le plan mental où puissent se formuler des relations moins individuelles, moins subjectives, et de plus en plus générales. Mais en même temps, dans la mesure où ils sont nécessaires à la fixation, à l'évocation et à la mise en ordre des idées, ils leur imposent leurs propres conditions spéciales. La pensée se perd quand, sous le mirage des abstractions croissantes, elle croit pouvoir quitter toute attache avec l'espace, qui, par degrés, peut seule la ramener aux choses.

Le geste, d'ailleurs, se dépasse lui-même pour aboutir au signe. Un mouvement s'inscrit en *graffiti* sur un mur ou en griffonnages sur un papier ; cet effet peut frapper l'enfant qui s'essaie à le répéter, amorçant ainsi une activité circulaire où le geste et le trait se comparent à travers leurs variations. Mais bientôt le cycle est rompu par le besoin suggéré ou spontané de trouver aux traits une signification. Le rapport de l'une aux autres est d'abord la première idée venue sans aucune condition de ressemblance. Puis l'enfant compose son dessin suivant un thème, mais avec des éléments beaucoup plus conventionnels qu'imitatifs : c'est d'où procède ce qu'on a appelé son réalisme intellectuel par opposition au réalisme visuel. Cette intuition de la figuration graphique peut être alors utilisée au profit de l'écriture conventionnelle. La traduction des sons en traits n'a pas créé, mais supposait l'aptitude et l'expérience graphiques.

Les sons eux-mêmes dont se compose la parole ne sont pas une simple succession ; ils appartiennent à des ensembles qui superposent à la succession pure la prévision simultanée et plus ou moins étendue des mots ou éléments phonétiques à énoncer, de leur position réciproque, de leur exacte distribution. C'est cette opération qui est troublée dans l'aphasie et qui oppose de graves difficultés à l'apprentissage de la parole par l'enfant. On a pu montrer la concomitance avec l'aphasie d'une incertitude dans le pouvoir de distribuer les objets dans l'espace suivant un modèle pourtant perçu [1]. L'échec de ces

1. Voir IIe partie, chap. 6.

mises en ordre paraît bien être de même source dans les deux cas. Il met en cause un dynamisme étroitement subordonné à des rapports de position, une intuition dynamique de ces rapports. On peut l'imaginer comme l'intime intégration réciproque du mouvement et de l'espace se projetant sur tous les plans de la vie mentale. Ainsi l'acte moteur ne se limite-t-il pas au domaine des choses, mais à travers les moyens d'expression, support indispensable de la pensée, il la fait participer aux mêmes conditions que lui. C'est là un facteur à ne pas oublier dans l'évolution mentale de l'enfant.

CHAPITRE 11

LA CONNAISSANCE

Les débuts de la parole chez l'enfant coïncident avec un progrès marqué de ses capacités pratiques, qui a rendu particulièrement frappante la comparaison de son comportement avec celui du singe. C'est ainsi que Boutan le premier, d'autres après lui, en particulier Kellog et sa femme, ont pu mettre en présence de situations identiques, et même faire vivre en les éduquant ensemble, un enfant, avant et après l'âge de la parole, et un jeune singe. Dans la période de début, réactions très analogues. Mais, quand lui vient l'usage de la parole, l'enfant distance rapidement son compagnon. S'ils sont mis, par exemple, en présence de boîtes alignées dont l'une contient une friandise, le dressage pour la trouver sans erreur commence par donner des résultats semblables. Mais, si l'ordre des boîtes vient à changer, le singe, décontenancé, ne fait plus qu'essayer au hasard, tandis que l'enfant, dès l'âge où débute la parole, sait très vite reconnaître comment il se modifie.

Évidemment, le langage est alors trop à ses débuts pour autoriser l'hypothèse d'une consigne intérieure ou d'un quelconque dénombrement mental. Il s'agit bien plutôt de l'aptitude à imaginer entre des objets perçus un déplacement, une trajectoire, une direction qui ne le sont pas. Elle n'est possible que si la vision, au lieu d'être totalement absorbée par les objets eux-mêmes, les distribue sur un canevas imaginaire de positions stables et solidaires. Sans elle, pas moyen de se représenter un ordre quelconque, de réaliser une mise en série. D'elle dépend aussi le pouvoir d'ordonner les parties successives du discours. La perte de l'un ne va pas sans la perte de l'autre. Un aphasique ne sait pas indiquer les directions : haut, bas, droite, gauche, etc., s'il a les yeux fermés. Les yeux ouverts, ce qu'il montre, selon Sieckmann, c'est un objet, non une direction : le plafond ou le ciel, le parquet, la main qui tient le rasoir, celle qui n'écrit pas, etc.

Simple condition de base, cette superposition à l'espace où choses et gestes sont et se produisent, de l'intuition qui les voit en devenir, est loin, sans doute, d'expliquer toute la fonction du langage, ni les conséquences considérables qui en sont résultées pour l'espèce et pour l'individu. Sans parler ici des rapports sociaux qu'il rend possibles et qui l'ont modelé, ni de ce que chaque dialecte recèle et transmet d'histoire, c'est lui qui a fait se transmuter en connaissance la mixture étroitement combinée de choses et d'action en quoi se résout l'expérience brute. A vrai dire, il n'est pas la cause de la pensée, mais il est l'instrument et le support indispensables à ses progrès. S'il y a parfois retard de l'un ou de l'autre, leur action réciproque rétablit vite l'équilibre.

Par lui, l'objet de la pensée cesse d'être exclusivement ce qui, par sa présence, s'impose à la perception. Il donne à la représentation des choses qui ne sont plus, ou qui pourraient être, le moyen d'être évoquées, d'être confrontées entre elles et avec ce qui est maintenant senti. En même temps qu'il réintègre l'absent dans le présent, il permet d'exprimer, de fixer, d'analyser le présent. Il superpose aux moments de l'expérience vécue le monde des signes, qui sont les repères de la pensée, dans un milieu où elle peut imaginer et suivre de libres trajectoires, unir ce qui était disjoint, séparer ce qui avait été simultané. Mais cette substitution du signe à la chose ne va pas sans des difficultés, sans des conflits. Elle oblige à résoudre pratiquement des problèmes dont la réflexion spéculative ne s'est saisie que plus tard. En individualisant ce qui était confondu, en éternisant ce qui était transitif, la représentation, que le signe aide à se délimiter strictement, soulève l'opposition entre le même et l'autre, le semblable et le divers, l'un et le multiple, le permanent et l'éphémère, l'identique et le changeant, la position et le mouvement, l'être et le devenir. Bien des inconséquences qui nous étonnent chez l'enfant n'ont pas d'autre source que le heurt de ces notions contradictoires, si apte soit-il à s'y dérober par omission, si aidé soit-il à les tourner par les habitudes de langage et de pensée qui lui viennent de l'adulte.

Mais le pas que le langage fait franchir à la pensée, et réciproquement d'ailleurs l'effort qu'il exige d'elle, peuvent être rendus sensibles par le recul qu'elle subit s'il tend à s'abolir. Chez des aphasiques, Goldstein a relevé l'impuissance à classer les objets selon des caractères pourtants évidents, mais qui sont étrangers à l'intérêt présent du sujet. Il en groupera, par contre, d'aussi hétéroclites que possible, s'ils appartiennent d'une façon quelconque à l'action dont il a l'esprit occupé. Un malade refuse de mettre ensemble un tire-bouchon et une bouteille dont le bouchon ne tient pas bien, sous prétexte qu'elle est déjà débouchée. Une autre assortit une boîte de poudre avec un livre, parce qu'ils sont des objets qu'elle compte emporter en voyage. L'existence des choses perd son indépendance ; elles ne sont plus appréhendées que dans leurs rapports avec le moi du malade. Cet *égocentrisme* est aussi celui du langage. Resté normal tant qu'il s'agit des circonstances concrètes où le sujet évolue, il cesse d'être compris dans la description de celles, si simples soient-elles, qui sont étrangères à sa vie propre. En même temps devient impossible l'énumération abstraite de noms, que pourtant les besoins du moment font encore utiliser correctement. Ici aussi le rapprochement s'imposerait avec l'enfant, chez qui s'observent de pareils décalages dans l'emploi ou la compréhension des mots selon la situation, et qui sait mal dissocier de lui-même le cours des événements ou la réalité des choses, mal grouper les objets, sinon suivant les rapports que sa propre activité peut y introduire.

***

En regard de ces difficultés, les forces — ou les faiblesses — de l'enfant. Ses impressions et réactions du moment commencent par l'absorber sans réserve. Elles se modifient et se renouvellent sans doute ; mais, plongé dans le successif, il est inapte à saisir la succession. C'est trop de dire qu'il vit un perpétuel « maintenant », car il n'a rien de fixe à quoi l'opposer. C'est un maintenant indélimité, sans mise au point, sans image-souvenir et sans prévision. Graduel ou soudain, le changement est subi, il n'est pas reconnu. L'enfant, mû par ses appétits ou les circonstances, peut bien éprouver, en même temps que son désir, l'attente ; en même temps que l'attrait d'un nouvel objet, le revirement de ses gestes. Mais c'est comme de simples tensions ou de simples métamorphoses dans le jeu de ses attitudes. Il ne sait pas assembler entre eux ces divers moments, même d'un lien lâche et fragmentaire. Le sens et l'emploi d'*avant* et d'*après* lui échappent encore, que déjà il parle depuis de longs mois. Ce n'est pas simple affaire de vocables ni même de notions trop difficiles. Sans doute la désignation du temps et sa nette identification exigent un glissement des trois termes *demain*, *aujourd'hui*, *hier*, successivement sur la même période, et la relativité de cet ajustement entre mots et choses suppose un dédoublement des plans sur lesquels les objets de la pensée se projettent, qui est d'une évolution mentale déjà élevée. Mais c'est beaucoup plus primitivement déjà que la continuité, la cohérence, les différenciations nécessaires de la pensée sont limitées par son mode de fonctionnement chez l'enfant.

Les mécanismes de l'action s'exerçant avant ceux de la réflexion, quand il veut se représenter une situation il n'y arrive pas d'abord s'il ne s'y engage en quelque sorte par ses gestes. Le geste précède le mot, puis en est accompagné, avant de l'accompagner, pour enfin s'y résorber plus ou moins. L'enfant montre, puis raconte, avant de pouvoir expliquer. Il n'imagine rien sans mise en scène. Il n'a pas encore scindé de lui-même l'espace qui l'entoure. C'est le champ nécessaire, non seulement de ses mouvements, mais de ses récits. Par ses attitudes et ses mines, il semble en faire le théâtre des péripéties qu'il rappelle, y rendre présents, y distribuer les objets, les personnages qu'il évoque. S'il a un interlocuteur véritable, c'est lui dont il paraît vouloir aviver, s'approprier la présence par ses gestes, par ses interjections répétées. En même temps, rien n'est évoqué sans être raconté, comme si l'énonciation de circonstances concrètes était nécessaire à l'évocation. Souvent, d'ailleurs, sous leur poids, le fil du récit se rompt ou s'engage dans une traverse.

Cette étape répond à la prépondérance persistante de l'appareil moteur sur l'appareil conceptuel. Sans action motrice ou verbale, l'idée manque de vigueur pour se former ou se maintenir. Les circuits qui lui sont propres, et qui appartiennent aux systèmes d'association, restent assujettis au renfort et aux contraintes des extériorisations qui ont pour instrument l'appareil de projection. D'où le nom de « mentalité projective » qui a été donné à ce type d'équilibre psychomoteur dont la survivance s'observe chez certains adultes. Elle se traduit par cette adhérence excessive de la pensée à son objet qui s'appelle « viscosité mentale ». L'action expressive qui les unit, en développant ses propres formules, la tient prisonnière, l'entraîne avec elle dans ses systèmes d'habitudes et de réminiscences, en ralentit ou en détourne le cours. Elle supprime ces simples aperçus qui permettent à l'idée de courir à son but sans avoir tous les reliefs intermédiaires à parcourir. Elle empêche, par son réalisme moteur, la prompte utilisation des signes et repères verbaux qui peuvent dispenser de penser la chose énoncée. Elle traduit une insuffisante différenciation, entre les plans pragmatique et conceptuel de la vie psychique.

A vrai dire, chez l'enfant, l'interférence d'autres insuffisances donne aux effets de cette indifférenciation un aspect moins pesant. Son appareil moteur est disputé entre la formulation de l'idée encore fragile et les réactions encore incontrôlées qu'une excitation fortuite lui arrache. Les diversions suspendent la réalisation en cours et se mêlent aux digressions où si souvent elle se perd. Viscosité et hyperprosexie [1] combinées, la pensée a des apparences de mobilité et de constance. En réalité, c'est une simple alternance. Le thème dont le recommencement succède au réflexe de curiosité lui est complètement étranger. Entre eux, la discontinuité est complète. Persévération et incontinence perceptivo-motrice, tout en paraissant contrarier leurs effets, sont également contraires au déploiement de l'idée. Leur conséquence est un morcellement, une simple juxtaposition des moments intellectuels. En présence de problèmes qui sont liés à l'exercice de la pensée, cette discontinuité influe nécessairement sur la façon de les résoudre.

Enfin, la discontinuité mentale de l'enfant a une autre cause dont les conséquences ne sont pas moindres. C'est la débilité d'accommodation à l'objet, qu'il mette en jeu l'appareil moteur, perceptif ou intellectuel. L'accommodation est longtemps trébuchante. Elle oscille autour du but en plus ou en moins, sa mise au point reste fugace, ses variations suivent mal celles de l'objectif. Comme un jeune chat, dont la pelote a disparu dans un endroit inaccessible, reste court et indécis, l'enfant le plus vif et le plus enjoué, lui aussi, a ses moments de désoccupation soudaine. Un air d'hébétude glisse sur son visage à l'instant où l'objet de sa pensée lui échappe. Et c'est souvent qu'il est sujet à le laisser fuir, puis souvent aussi à le confondre avec d'autres. Il en résulte une image vacillante des choses, qui rend difficile de les identifier chacune et facile de les mêler entre elles. L'idée de leurs métamorphoses possibles, loin d'être réduite par le contact de la réalité, y trouverait plutôt son fondement. Ainsi les fantasmagories auxquelles l'enfant est crédule ont-elles moins lieu de nous surprendre.

La pensée de l'enfant a été qualifiée de *syncrétique*. Les mêmes qualificatifs ne peuvent, en effet, convenir à ses opé-

1. Voir IIe partie, chap. 6.

rations et à celles de la pensée adulte. Celle-ci dénomme, dénombre et décompose l'objet, l'événement, la situation dans leurs parties ou dans leurs circonstances. Elle doit user de termes à signification définie et stable, en contrôler l'exacte appropriation à la réalité présente, puis retrouver le tout en partant des éléments, cette réversibilité des résultats étant la seule garantie de leur justesse. Elle procède donc par analyse et par synthèse. Avant d'en être capable, celle de l'enfant doit résoudre de difficiles oppositions.

Entre le langage et l'objet, l'appropriation est loin d'être immédiate. Les premières phrases sont optatives ou impératives, faites d'un seul mot et, le plus souvent, de la même syllabe répétée. Leur sens peut varier suivant les situations. Elles sont donc essentiellement elliptiques et polyvalentes. C'est aux circonstances de les définir, et non l'inverse. Leur structure peut bien commencer à se développer, l'intention en reste d'abord volontariste et expressive. Elles traduisent davantage l'élan ou l'état affectif du sujet que la nature ou l'aspect de l'objet. Quand vient l'âge où le « savoir verbal » (Goldstein) se développe rapidement, c'est encore, au début, sous forme d'ensembles mnémoniques plus ou moins retenus pour eux-mêmes, ou du moins n'ayant avec le réel que des rapports incertains et globaux. Il faut souvent de lents tâtonnements pour que l'enfant en pénètre le sens, en reconnaisse les parties et les ajuste chacune à sa signification propre. Entre elles, comme entre les ensembles dont elles sont détachées, les liens restent longtemps plus forts que leur référence exacte aux objets. La traduction verbale de sa pensée trompe souvent l'enfant, en se substituant elle-même à son expérience directe des choses. Quand surgissent plus tard les connaissances scolaires, le conflit des mots et des choses n'est pas encore terminé. Et, pour comprendre certaines des contradictions où les questions de l'adulte peuvent l'induire, il faut savoir constater quels prodigieux efforts de réduction lui sont nécessaires entre ces trois sources de connaissance : l'expérience immédiate, le vocabulaire et la tradition magistrale.

Mais la représentation, qui se glisse inévitablement entre le mot et la chose comme leur vestige et leur évocateur communs, commence, elle aussi, par opposer ses exigences propres à celles de l'expérience brute. Elle est délimitation et stabilisation. En s'installant dans l'esprit de l'enfant, elle tend à lui rendre inconcevable son intuition dynamique des situations. Alors que tout y était fusion du désir et de l'objet, des automatismes et de l'instrument, de l'espace et des gestes [1], elle distingue, morcelle, immobilise. Encore étroitement soudée à ses origines concrètes et verbales, elle manque de jeu et ne sait pas varier avec la diversité des rapports. Elle rend inintelligible à l'enfant ce qu'il subit le plus continûment : le changement. En présence de ce qui devient, il serait volontiers comme les Éléates, auxquels l'image de chaque position successivement occupée masque le mouvement, ou comme les obsédés que la représentation d'un objet ou d'une circonstance redoutée rend insensibles aux rapports de distance, de vitesse et même de simple extériorité (le convoi funèbre d'un inconnu leur paraît toucher à leur propre personne), mais qui croient corrélativement que le risque peut être écarté par une représentation sous forme de simulacre ou de conjuration.

Le syncrétisme produit des effets assez semblables. Il est une sorte de compromis, à des niveaux divers, entre la représentation qui se cherche et la complexité mouvante de l'expérience. Pour le définir, le mieux est de le comparer aux distinctions essentielles sur lesquelles repose la pensée de l'adulte.

En regard de l'analyse-synthèse, il exprime les rapports que l'enfant est capable d'établir entre les parties et le tout. La confusion est encore à peu près complète. La perception des choses ou des situations reste globale, c'est-à-dire que le détail en reste indistinct. Cependant l'attention de l'enfant nous paraît souvent se porter sur le détail des choses. Il en relève même de si particuliers, si ténus ou si fortuits qu'ils nous avaient échappé. Cependant ce n'est pas comme détails d'un ensemble qu'il les saisit, et c'est même pour cela qu'il y est

---

1. Voir IIIe partie, chap. 10.

sensible. Subordonnés à l'ensemble, l'intérêt s'en serait détourné, soit comme ayant leur sens ailleurs qu'en eux-mêmes, soit comme trop accessoires. La perception de l'enfant est donc plutôt singulière que globale ; elle porte sur des unités successives et mutuellement indépendantes, ou plutôt n'ayant entre elles d'autre lien que leur énumération même. L'ordre dans lequel l'enfant les a remarqués peut d'ailleurs laisser plus qu'une trace brute dans son aperception ou dans sa mémoire. Il peut se constituer en une structure plus ou moins amorphe, qui se substitue à celle des choses.

Entre les unités perceptives de l'enfant, il y a pourtant cette différence que les unes sont réellement pour nous des ensembles, les autres, au contraire, nous paraissent de simples détails indécomposables. Des expériences différemment combinées ont amené des psychologues à soutenir, les uns, qu'effectivement sa vision porte sur des touts, mais indécomposés, et les autres, qu'elle isole du tout, en lui-même inaccessible à l'enfant, un trait élémentaire. Bourjade a fort ingénieusement démontré que, dans le premier cas, les formes présentées avaient déjà une cohésion marquée et que, dans le second, c'est la discontinuité ou l'hétérogénéité qui l'emportaient. Le pouvoir constellant de la perception enfantine a en effet ses degrés. Il peut varier en extension et en résistance, toutes deux diminuant à mesure que la forme saisissable se fonde sur une structure moins cohérente ou plus compliquée entre les données extérieures de la perception. L'extension à de plus nombreux détails est ce qui se développe le plus vite avec l'âge. La non-résistance du groupement est ce qui contribue longtemps à empêcher l'analyse, car la cohésion de l'ensemble est indispensable pendant tout le temps qu'elle opère.

Mais ce qui peut compliquer les effets du syncrétisme, c'est qu'il n'est pas simple insuffisance ; il est, à sa façon, une activité complète en présence des choses. Il utilise les procédés les plus généraux de l'expérience usuelle comme l'anticipation. Déjà, chez les animaux, on a pu constater que, dressés à reconnaître des figures entre elles, ils peuvent ensuite ne réagir qu'à l'une de leurs parties, comme s'ils étaient capables de les compléter chacune. Ce n'est là que la vérification d'un fait constant dans des conduites même élémentaires, et qui se retrouve dans la perception. Mais la partie entraînant la même réaction ou la même réponse que ferait le tout n'implique pas nécessairement qu'elle implique et qu'elle évoque la structure du tout. Un détail accidentel aurait le même résultat qu'un trait essentiel s'il avait la même constance. C'est bien là ce qui se produit avec des motifs moins simples et moins dépouillés que n'est une figure géométrique.

La chose est évidente lorsque, au lieu d'une image ou d'un objet, le motif est une situation complète et concrète. Alors le fortuit, non seulement s'y introduit plus facilement, mais il n'a pas besoin de se répéter pour être fixé, pourvu que l'intérêt suscité soit suffisant. Ainsi le voit-on souvent se mêler ou se substituer à l'essentiel dans la conduite, les récits, les explications de l'enfant. Les impressions que des circonstances, soit externes, soit intimes, ont unies se fondent en une sorte d'équivalence mutuelle, de telle sorte que l'une quelconque d'entre elles peut signifier ou évoquer tout l'ensemble. Certains souvenirs font persister quelque chose de cela chez l'adulte : ceux qui gardent la coloration unique d'un moment ou d'un événement, et qui d'ailleurs remontent habituellement à son enfance. Ils la doivent souvent à des traits purement accessoires, mais qui se sont trouvés être comme les condensateurs d'un état ou d'une étape affectifs. Cette mémoire-là s'oppose à la mémoire classificatrice et rationnelle. Chez l'enfant, les cadres classificateurs n'existent pas encore. D'où la particularité marquée et comme irréductible de ses impressions et de ses souvenirs.

A de tels effets contribue l'absence d'une distinction qui est peut-être plus fondamentale que celle des parties et du tout : le subjectif et l'objectif se mêlent encore, donnant lieu à ce que Lévy-Bruhl a dénommé participation. L'enfant commence par ne pas savoir s'isoler du spectacle qui le captive ou de l'objet qu'il désire. Ainsi sa vie va-t-elle se fragmentant avec les situations diverses dans lesquelles il se confond tour à tour, mais inversement elles sont tellement inhibées de sa substance affective qu'elles lui sont plus semblables souvent qu'aux événements. En présence de circonstances définies, il est de constatation banale que l'enfant leur fait subir, dans ses récits et dans sa sensibilité, des altérations qui peuvent les opposer, comme un mensonge, à la vérité. Si la chose est en elle-même sans importance, elle est simplement regardée comme ayant servi de jouet à sa fantaisie. Dans les deux cas, c'est la même intromission, à des degrés divers, du sujet dans l'objet.

La confusion du subjectif et de l'objectif se transfère tout naturellement à ce qui traduit leurs rapports : à la représentation et aux mots qui l'expriment. Celle-ci est le reflet de leurs actions réciproques, sur le plan qui est le sien. Par elle, l'objet redouté devient maléfique, même sans contact physique ; et le désir se veut efficace, même sans intervention matérielle. Le simulacre peut lui donner une apparence de réalité allégorique ; mais une simple formule verbale suffit, ou même la simple intention : l'enfant croit volontiers aux suites vengeresses de ses invectives ; mais il se borne aussi à vouloir intensément le châtiment de l'adversaire, avec l'illusion qu'il en résultera bien quelque chose. C'est ce qu'on a appelé « croyance magique ». Elle n'a rien de magique chez l'enfant, en ce sens qu'elle n'a rien d'un rite et qu'elle est toute spontanée. Elle est le simple effet de l'indifférenciation qui persiste entre les plans mentaux et moteurs de l'action, entre le moi et le monde extérieur. Aussi ne peut-il pas être plus question d'égo- que d'exocentrisme, mais d'un stade antécédent.

Cette indistinction initiale entre le moi et l'autre entraîne aussi une distinction insuffisante entre les autres. Lorsque le petit enfant poursuit tout homme qu'il voit du nom de « papa », il serait également prématuré de dire qu'il les identifie avec son père ou qu'il les range dans une catégorie désignée du nom d'un seul, faute d'en savoir le nom collectif. Il subit la réaction d'ensemble, que par certains de ses traits suscite un motif, dont les parties se confondent avec le tout et sont par suite susceptibles d'entraîner la confusion mutuelle d'ensembles, par ailleurs différents. C'est seulement quand il deviendra capable de distinguer ses propres réactions de leurs motifs extérieurs que les motifs, s'individualisant, lui permettront de distinguer entre eux, c'est-à-dire de distinguer leur structure propre sur le fond de leur nature commune. L'individuel et le général, dont les philosophes se sont plu à discuter la priorité relative, sont en réalité simultanés, parce que solidaires, et le syncrétisme les fait précéder d'un autre terme qui ne peut être ni l'un ni l'autre, parce que le sujet qui agit, perçoit ou pense ne sait pas ne pas mêler sa présence aux motifs de la réalité, leur interdisant ainsi d'opposer leurs identités entre elles et en même temps de se classer chacun dans des cadres définis, stables et impersonnels.

Distinguer entre eux les individus suppose le pouvoir d'opposer l'identique au semblable et de l'unir au dissemblable. Une simple similitude ne doit pas entraîner l'assimilation de deux êtres ; mais le même être peut varier dans certains de ses caractères, et chacun de ses caractères peut varier entre certaines limites. On sait combien le moindre changement dans la coiffure, dans le vêtement des personnes qui l'approchent peut causer de frayeur au petit enfant. Non-reconnaissance et reconnaissance simultanées produisent un déséquilibre psychique d'où sort la peur, comme du déséquilibre physique [1]. La connaissance précoce que le nourrisson a de sa mère n'est pas une véritable identification, c'est sa réponse à l'ensemble des situations que des fils nombreux et serrés ont tressées entre elle et lui.

L'invariance que l'enfant exige dans les objets qui lui sont familiers a évidemment pour limite son pouvoir, en certains domaines très obtus, de discerner les différences. De même, l'assimilation qu'il fait d'objets quelque peu différents entre eux peut donner à tort l'illusion qu'il est capable d'apprécier à sa juste valeur une simple diversité de nuances. En réalité,

---

1. Voir *L'Enfant turbulent*, Ire partie, chap. 1.

le rapport de la chose à ses qualités est extrêmement strict et unilatéral. Il rend son identité extrêmement fragile. Elle est susceptible de se dissocier en autant d'êtres qu'elle a d'aspects successifs et d'être assimilée à autant d'êtres différents qu'elle a de ressemblances partielles avec eux, un simple point de contact pouvant entraîner la coïncidence du tout. L'impuissance où est l'enfant de distinguer entre la chose et ses aspects simultanés ou passagers résulte de son impuissance à imaginer les aspects sous forme de qualités indépendantes ou, mieux, de catégories qualitatives.

Encore une fois, l'étude de l'aphasie peut aboutir à des cas de régression susceptibles d'éclairer les débuts du développement intellectuel chez l'enfant. La stricte adhérence de la qualité à la chose permettait à un malade de dire que la fraise est rouge, alors que, devant des échantillons de laine rouge, il ne savait pas les désigner comme rouges (Goldstein). Simple association automatique d'une qualité au nom de la chose, dira-t-on, avec impuissance concomitante d'évocation verbale en présence d'objets à décrire. Mais, si l'évocation verbale était impossible, c'est précisément que la couleur signifiée n'était pas indistinctement la couleur de tous les objets rouges actuellement perçus ou éventuellement à percevoir ; elle n'était la couleur que de tel ou tel objet particulier. A moins de lui être déjà comme substantiellement unie, elle ne pouvait être évoquée à son propos. Bien plus, elle ne se limitait pas seulement à tel ou tel objet, mais aussi à telle ou telle nuance. Tous les objets de nuance tant soit peu différente étaient rejetés comme non rouges. Rétrécissement dans l'aperception et la reconnaissance des couleurs ? Non pas, car au lieu d'assortir deux rouges il arrivait que le malade rapprochât deux couleurs de ton fondamental entièrement différent, mais entre lesquelles il y avait une certaine harmonie de clarté, de délicatesse d'effet esthétique. Les ressemblances ou convenances qualitatives étaient bien saisies, souvent même avec une grande finesse, mais chacune pour elle-même et sans répondre à un principe de classement identique. Les rapports, les structures de couleurs étaient perçus quand l'occasion les amenait de façon concrète, mais les qualités de la couleur ne pouvaient pas devenir chacune un point de vue pour le groupement et la mise en ordre des objets où elle se retrouvait. Aucune n'était capable d'imposer sa direction ni d'imprimer au choix une orientation déterminée et momentanément exclusive de toute autre. Elles étaient déchues de leur pouvoir catégoriel.

De même, chez l'enfant, les qualités des choses commencent par se combiner à chacune particulièrement, sans pouvoir servir à les ranger par comparaison systématique. Elles ne sont pas encore passées sur le plan fonctionnel des catégories. C'est là une étape plus ou moins tardive suivant l'origine plus abstraite ou plus concrète des principes classificateurs. Tant qu'elle n'est pas franchie, l'enfant éprouve d'insurmontables difficultés en présence de problèmes qui paraissent simples. Le test de Burt sur les trois petites filles dont l'une a les cheveux plus foncés que la deuxième, mais plus clairs que la troisième : « Laquelle est la plus foncée ? » ne peut être résolu avec facilité et certitude tant que l'enfant ne sait pas projeter les couleurs énoncées sur le fond de la couleur catégorie, c'est-à-dire d'une couleur qui soit devenue indépendante de tous les objets particuliers et puisse servir à les classer. De même, l'absurdité de la phrase où l'enfant se compte lui-même parmi les trois frères qu'il prétend avoir ne peut être dénoncée ou expliquée, si la qualité de frère reste liée à l'individu, au lieu d'être un ordre détaché de chacun et en particulier du sujet, de telle sorte qu'à leur qualification absolue soient substitués des rapports interchangeables de l'un à l'autre.

A cette relativité qualitative, sans laquelle l'objet disperse son identité selon tous les aspects ou toutes les relations qui peuvent l'affecter, paraît s'opposer une nécessité inverse, mais de but semblable : celle de lui attribuer des qualités fixes, immuables, spécifiques. A chacun sa couleur, sa forme, ses dimensions : c'est par là qu'il reste lui-même et s'oppose à tous les autres. Cette identification qualitative n'est pas une donnée primitive de la perception. Il lui faut se chercher à travers les contacts divers et fortuits de la sensibilité et des choses. Elle relève d'une évolution beaucoup plus précoce que celle des catégories. Il lui est d'ailleurs nécessaire ensuite de s'articuler avec elles.

Pour se la représenter dans sa simplicité, dans sa rigidité initiale, des exemples, des témoignages peuvent encore être demandés à la pathologie. Dans certains états de dépression et d'obsession, les malades disent avoir ressenti une stabilisation, une schématisation singulières de leurs impressions. Elles se confondaient toutes avec une sorte d'image-limite d'où étaient éliminés l'accident et la nuance. Le ciel était absolument bleu comme le ciel d'Italie des chromos, la terre brune, la forêt verte, les maisons blanches. La forme des fleurs était d'une régularité splendide. Et ainsi de tous les objets perçus ou imaginés.

Si le langage et les moyens de comparaison manquent aux enfants pour confirmer ces descriptions, du moins n'est-ce pas, semble-t-il, sans raison que W. Stern préconise de leur enseigner les couleurs en liant chacune à l'objet dont elle serait la marque distinctive et comme essentielle : le bleu au ciel, le vert à l'arbre, etc. Procédé pédagogique peut-être contestable. Mais l'idée n'a pu, sans doute, en venir à Stern que sous l'influence de ce qu'il a lui-même appelé « convergence » à propos du langage, c'est-à-dire des modifications que subissent à son insu les manières de l'adulte, pour ressembler à celles de l'enfant et lui être mieux accessibles. Au reste, plusieurs exemples et expériences montrent que dans la perception de l'enfant l'incomplet, l'intermédiaire, l'accidentel sont ramenés à l'achevé, à l'extrême, au type. Le C, cercle rompu, est vu comme un O. C'est graduellement, avec l'âge, que les petites différences deviennent perceptibles. Le mécanisme de cette diversification est, selon Koffka, le même que celui de la normalisation qui fixe les qualités propres à chaque objet : c'est l'existence d'une structure perceptive, mais qui se différencie plus ou moins.

Pour les couleurs, il est de constatation vulgaire qu'elles changent avec l'éclairage, qu'elles ne sont pas les mêmes à midi, le matin et le soir, la composition de la lumière n'étant pas la même. Et pourtant la teinte propre à chaque objet paraît lui rester. Il s'agit non pas d'une interprétation ou d'une correction secondaire, mais d'un fait beaucoup plus primitif. Koffka le rapproche de l'expérience faite par Kœhler avec des poules qu'il faisait picorer sur une aire mi-partie blanche mi-partie grise : les graines de la partie grise ayant été collées au sol, l'animal apprend très vite à ne saisir que celles de la partie blanche. Survienne un obscurcissement tel que la moitié blanche de la surface reflète encore moins de lumière que précédemment la moitié grise, c'est toujours sur elle que la poule cherche sa pâture. Ce qui déclanche la réaction, ce n'est donc pas un degré déterminé, mais un rapport de luminosité. Le fait était connu depuis longtemps dans le domaine de la perception sous le nom d'*albédo*. Les expériences de Kœhler ont contribué à montrer qu'il s'observe déjà dans des comportements relativement élémentaires.

Le système de rapports qui conservent à chaque objet sa couleur propre est le produit d'une structure. Il n'y a pas d'impression isolée. Tout ce qui est perçu l'est sous forme d'un ensemble ou d'une structure. C'est de l'ensemble que chaque élément reçoit sa signification. Mais, dans un même monde d'impressions, plusieurs sortes de structures hétérogènes sont possibles et même sont compatibles entre elles. Celle de l'objet comporte la fixation mutuelle des qualités qui lui sont propres. Mais ces qualités et l'objet lui-même peuvent aussi entrer dans d'autres ensembles, dont la structure les fait servir à d'autres effets. La structure usuelle et utilitaire pour l'adulte est la structure par objets. L'effort de l'artiste ou de l'inventeur est souvent de la résoudre en d'autres où tend à se dissoudre l'aspect conventionnel et traditionnel de l'objet. Les structures accessibles à l'enfant sont, à des degrés divers, différentes des formules adoptées par l'adulte.

La différenciation progressive qu'il fait des couleurs est elle-même, selon Koffka, affaire de structure. Quand une couleur est reconnue ou du moins quand elle devient capable de susciter des réactions en rapport avec elle seule, c'est qu'elle commence à se détacher sur le fond encore indistinct, mais pourtant consistant, des autres. C'est le contraste qui les rend efficaces. Les couleurs claires sont les premières à être distinguées, par opposition aux sombres, qu'elles amènent d'ailleurs bientôt à l'être aussi. Les couleurs chaudes commencent par être séparées en bloc des couleurs froides ; elles sont, par exemple, toutes dénommées « rouge », à la différence du clair et de l'obscur qui sont appelés blanc et noir (Hilde Stern, 3 ; 2). L'ordre que donnent les auteurs de leur discernement successif s'explique par des structures d'abord fortement contrastées, puis plus subtiles Inversement, les confusions répondent à des couleurs dont le contraste ou l'accord se fondent sur des différences moins marquées : bleu et vert, vert et blanc, jaune et blanc, violet et bleu. En raison même des rapports qui existent entre les conditions physiques de la lumière et physiologiques des sens, la progression de la vision colorée est sensiblement la même chez tous les enfants observés. Cependant, celles données par Shinn et par Stern diffèrent : dans un cas, l'enfant était élevé en Californie, pays de végétation exubérante ; dans l'autre, parmi les aspects pierreux d'une ville. L'environnement pourrait donc influer sur l'ordre qui règle le discernement des couleurs, selon la diversité des structures habituelles dont il est l'occasion.

Spécialement essentielle à la connaissance de l'objet est sa forme. L'image rétinienne en est extrêmement diverse. Elle change avec chaque déplacement angulaire du regard et de l'objet. Le résultat de ces impressions dissemblables est pourtant une forme unique et stable. La mémoire, selon K. Buehler, en expliquerait la constance. Koffka le conteste. La perception d'une forme n'est pas une simple sommation d'impressions, à la manière des images composites de Galton. Elle est immédiate. Chaque image de l'objet est un système déterminé de rapports entre l'ensemble et ses éléments. Il se produit comme tel et n'est pas le résultat de retouches successives. Mais entre les images diverses une concurrence s'établit. C'est celle dont la structure est optiquement la plus simple qui prime les autres. Et c'est ainsi que l'aspect orthoscopique l'emporte.

Est-il légitime, cependant, d'isoler les impressions visuelles de toutes celles qui sont également en rapport avec la forme des objets ? Les observations de Kœhler sur les chimpanzés ne montrent-elles pas, au contraire, que, dans la structure de leurs conduites en présence de la proie convoitée, intervient, la totalité de la situation, c'est-à-dire, avec les repères optiques l'intuition, par l'animal, des mouvements dont il est capable, celle aussi de leurs limites et des instruments qui doivent les compléter ? De l'objet comme tel résulte aussi une situation qui implique toute une série de conduites devenues indiscernables de son image visuelle. La sélection dont celle-ci serait le résultat suppose comme sélecteur l'ensemble des besoins et moyens qui sont liés à l'objet et qui se confondent avec son utilisation, son maniement, c'est-à-dire avec des fonctions et des significations où entrent en particulier des facteurs tactiles et moteurs. Sans doute, il ne s'agit pas d'un agglomérat entre impressions distinctes. La perception est bien immédiate, simple et primitive, mais c'est dans l'instant où elle se produit. Des élaborations antérieures peuvent être intégrées dans sa structure présente sans en compromettre l'unité. Elle est ainsi la résultante, en proportion variable suivant les cas, de la maturation fonctionnelle et de l'expérience.

Si l'image orthoscopique des choses, simple aspect parmi une infinité d'autres, en est tenue pour l'image vraie, n'est-ce pas en raison de leur maniement qui ignore les lois, les illusions de la perspective ? Si la perception est relative à l'objet, si elle n'est pas un fait uniquement sensoriel et même unisensoriel, l'unité de sa structure n'exige-t-elle pas qu'entre ses facteurs visuels et les autres il y ait concordance ? Mais la plus grande simplicité optique des aspects orthoscopiques est elle-même une notion bien relative. Il semble qu'elle ne s'impose pas aux chimpanzés qui ne savent pas placer d'aplomb l'une sur l'autre les deux caisses qui doivent leur servir de tremplin. Elle implique l'intuition de la verticale, celle qui en est peut-être seulement corrélative de l'horizontale et celle de l'équerre. L'enfant n'a-t-il pas à les apprendre ? Il ne semble pas les rencontrer comme une donnée brute des choses ; chacun de ses moindres déplacements change l'orientation de leurs parties. Il n'y a donc pas une direction plus fréquente, privilégiée ou type. Au contraire, c'est un problème qui surgit à une certaine période de son développement que celui de l'équilibre : l'équilibre des choses, mais aussi son propre équilibre. Il met alors une égale passion à entasser verticalement des objets, de manière qu'ils ne tombent pas, et à tenter des épreuves plus ou moins acrobatiques, dont le risque est sa propre chute. Peut-être la notion de la verticale comme axe stable des choses est-elle en rapport avec la station redressée de l'homme, dont l'apprentissage lui coûte tant d'efforts. Dans la structure orthostatique qui règle non seulement leur perception, mais aussi leur édification, s'intégrerait, en dernière analyse, son équilibre subjectif qui est la condition ultime et indispensable de son action sur elles [1].

La constance de grandeur s'ajoute enfin à celles de forme et de couleur pour conserver à un objet de perception son identité. La taille d'un homme paraît la même à un mètre et à quatre, bien que l'image rétinienne correspondante soit réduite au quart. A grande distance, cependant, il semble plus petit. Un village sur une montagne fait inévitablement l'impression d'un jouet. La rectification ne s'opère donc apparemment que dans un certain système de repères qui doivent délimiter une zone accoutumée et prévisible d'action. Stern parle d'association entre impressions tactiles et visuelles. Il faudrait y ajouter des impressions motrices et locomotrices. La rectification de la grandeur d'après la distance est d'intérêt tellement urgent dans le rayon de l'action immédiate qu'elle ne peut pas être le privilège de l'homme. Comme il fallait s'y attendre, le singe en est capable et sans doute bien d'autres animaux : Kœhler habitue un chimpanzé à prendre sa nourriture dans une caisse plus grande qu'une autre située sur le

---

1. Voir IIIe partie, chap. II.

même plan, puis il la place en retrait, de telle sorte que sa grandeur rétinienne devienne plus petite : le singe ne s'y trompe pas.

Ce n'est cependant pas exactement le même problème d'établir une corrélation pratique entre deux variables telles que distance, dimension ou volume, poids, et de former une image où ce rapport soit formulé de façon stable et objective. Koffka estime que ce n'est pas avant 7 ans qu'est obtenue véritablement l'invariabilité de l'image, quelle que soit la distance. Plutôt qu'un effet d'apprentissage, il y voit un fait de maturation. K. Buehler, au contraire, insiste sur la nécessité d'exercer à rendre indépendantes l'une de l'autre la grandeur rétinienne et la grandeur apparente des objets. Comme preuve de la difficulté d'accorder entre elles ses différentes grandeurs rétiniennes du même objet, il rappelle son goût pour les géants et les nains des contes : ce serait là une manière d'exercice-jeu pour l'application aux êtres de leur véritable dimension, en partant des extrêmes. Mais évidemment il confond ainsi deux réalités de niveau différent, l'image rétinienne et l'image mentale.

L'image rétinienne n'a pas d'existence psychologique propre, et l'image mentale n'est pas son simple décalque. Le faux problème de l'image rétinienne renversée, qui serait vue droite par l'esprit, ne doit pas se répéter pour les dimensions successivement différentes du même objet sur la rétine. Chacune d'elles, comme telle, n'est pas un objet de perception. C'est à saisir ce qui est, et non de simples impressions subjectives, encore moins un procès purement physiologique que tend la perception. De même qu'elle anticipe souvent sur des impressions, encore inapparentes, mais essentielles, il lui arrive, aussi, de ne réaliser qu'intégrées entre elles des impressions de même espèce, mais changeantes. C'est très tôt que l'enfant a vu des objets s'approcher ou s'éloigner de lui : à mesure que son regard devenait capable de s'accommoder au déplacement, l'objet restait pour lui le même objet, et, quelle que fût la variabilité soudaine de ses dimensions rétiniennes, il gardait une seule et même taille. Mais d'après quoi la mesure-t-il ?

Son échelle ne paraît pas coïncider avec celle de l'adulte. C'est une remarque banale que, remis soudain devant les objets ou lieux de notre enfance, nous nous étonnons de leur petitesse. L'enfant donne donc aux choses des dimensions plus grandes : ce n'est évidemment pas en rapport avec ses images rétiniennes, sensiblement les mêmes que celles de l'adulte, mais avec le champ total de son activité : avec l'envergure de ses mouvements et la disproportion pour eux des objets faits à l'usage de l'adulte, avec l'influence qui en résulte sur l'image dynamique et corporelle qu'il se fait de lui-même. Voilà l'étalon subjectif et pratique qu'il applique aux choses. La diversité objective de taille entre les différentes images de la même n'est pas faite pour le troubler. Il reconnaît de façon très précoce les personnes sur leur photographie. Ce qui l'intéresse à travers tous les aspects, c'est la réalité. Mais, de l'étalon, il n'a pas encore su tirer l'échelle complète, car il faudrait le faire passer sur le plan des catégories, c'est-à-dire en faire sortir un ordre qui soit indépendant de chaque réalité particulière et surtout de la réalité subjective qui lui sert d'origine.

L'enfant ne cesse donc pas de se comparer personnellement à chaque chose. Il s'intéresse au très grand et beaucoup plus volontiers encore au très petit, qu'il peut dominer et sur quoi il peut exercer sa puissance. Il tripotera de longs instants entre ses menus doigts les miettes et particules, il démembrera les insectes dont il aura pu se saisir. Les dimensions des choses commencent par se disposer en îlots autour de lui, non sans qu'il essaie petit à petit de les raccorder entre elles. Le goût qu'il a pour les géants et pour les nains résulte encore essentiellement du rapport qu'il en fait à lui-même ; ils constituent avec lui une sorte de structure par contraste. Et pourtant l'opposition qu'il en fait (le petit Poucet et l'Ogre) amorce déjà une série dont il cherchera à combler les vides. Le jour où des réalités actuelles, des intuitions concrètes ne seront plus à tout instant nécessaires pour les combler et les penser, la dimension, de simple structure, sera devenue catégorie.

Le passage de l'une à l'autre ou, mieux, leurs alternances et leurs combinaisons sont des plus évidents dans l'apprentissage et l'usage de la numération. Les débuts, de trois à cinq ans, en sont extrêmement lents. Il apparaît diverses ébauches, d'abord sans raccord entre elles. L'enfant semble vouloir dénombrer des objets situés devant lui en répétant pour chacun successivement un mot tel que *aco* (encore), auquel il oppose un mot comme *pati* (parti) pour ceux dont il constate l'absence. Il semble donc opérer suivant le principe de l'addition et de la soustraction. Ne lui manque-t-il que les noms nécessaires pour enregistrer la progression des résultats ? Mais les noms de nombre qu'il apprendra par ailleurs à énoncer, il les utilisera très longtemps n'importe comment. L'emploi correct de « deux », puis de « trois » précédera de loin celui des suivants. Quand il saura, plus tard, réciter leur suite régulière en l'appliquant à une série d'objets, le dernier terme énoncé vaudra seulement pour l'objet correspondant et non pour la somme entière : il ignore le passage du nombre ordinal au nombre cardinal. Enfin, le nombre qui désigne une somme s'appliquera seulement à elle, et pas à une somme semblable d'objets semblables. L'enfant sait qu'il a cinq doigts et les compte, mais ignore combien il y en a à la main de son grand-père. Ainsi le nombre est encore comme une qualité attachée particulièrement à un objet ou à un groupe d'objets : c'est la phase précatégorielle du nombre ; et les termes qui le désignent sont employés longtemps au hasard, évidemment parce qu'ils ne sont fixés par aucune intuition correspondante de groupe, les seuls groupes reconnus bien avant les autres étant ceux dont la structure est la plus élémentaire : deux, puis trois.

En effet, les essais de dénombrement ne font d'abord que suivre la perception intuitive et globale des quantités. Binet le premier a eu l'idée de chercher pour quelle quantité maxima d'objets et pour quelle inégalité minima l'enfant est capable de reconnaître, à ses différents âges, lequel de deux tas est le plus gros ou le plus petit. Decroly a fait des expériences analogues, mais en demandant à l'enfant de rendre semblables deux groupes qui diffèrent entre eux d'une ou de deux unités. L'unique procédé qu'il utilise est, longtemps, de retirer au groupe le plus fort, sans jamais ajouter au plus petit, non que ce geste soit moins facile que l'autre, mais sans doute parce qu'avant d'être devenu familier et de s'exécuter pour lui-même, il exigerait l'intuition de quelque chose qui n'est pas encore réalisé, alors que l'autre est la simple diminution, si coutumière à l'enfant, de quelque chose qui est donné. Ainsi des intuitions concrètes et particulières sont d'abord la condition indispensable des opérations les plus simples. Et l'expérience a montré qu'il était bon d'entraîner l'enfant à comparer, fractionner, recomposer des quantités réelles, en lui faisant prendre une intuition directe des groupes et structures successivement obtenus, afin de mieux lui faire saisir la signification et l'usage des nombres. C'est seulement ensuite qu'il saura bien les utiliser d'une façon en quelque sorte indéfinie et abstraite : d'une façon catégorielle.

L'identification des objets et leur classement sous les différentes rubriques qualitatives, y compris celle de quantité, ne sont pas les seules exigences de la connaissance. Enfermer dans des unités ou définitions statiques le contenu de l'expérience est sans doute une nécessité sur le plan de la représentation. Mais le contact réel des choses et le besoin d'agir sur elles, ou simplement d'agir, force d'en sortir. Il est inexact de dire que l'enfant se maintient dans un perpétuel présent. C'est plutôt le « maintenant » qui l'accapare, c'est-à-dire une prise de possession graduelle des instants qui mesurent sa perception et son action. Il a le sentiment simultané de l'actuel et du transitif. Mais le transitif devra, lui aussi, passer sur le plan de la représentation, c'est-à-dire recevoir une formule stabilisée qui tienne compte du changement et du devenir, qui mette le mouvement en termes équilibrés : c'est à ce besoin subjectif et à cette nécessité de l'action objective que répond la notion de causalité. L'enfant n'arrive à la réaliser que par degrés.

Les premières liaisons entre contenus mentaux de l'enfant sont du type *transduction*, suivant l'expression de Stern. Ce n'est pas simple succession, c'est passage. Le lien est dans le sentiment subjectif de penser ou d'imaginer ceci après cela. C'est un nouveau cas de la confusion syncrétique entre le sujet et l'objet. La conscience de soi qui accompagne l'activité introduit entre ses moments immédiatement contigus une sorte d'appartenance mutuelle. La distinction entre l'acte lui-même et les choses n'étant pas encore faite, elles sont, même objectivement différentes, comme assimilées entre elles.

A leur égard, la transduction tend à se traduire par du métamorphisme. Comme dans les contes, une même chose peut successivement en être plusieurs autres, tout en restant la même. C'est là sans doute du merveilleux pour les enfants eux-mêmes, mais qui exige une certaine crédulité, dont la source est dans l'obligation où ils se trouvent de confondre changement avec transformation. La conciliation du même et du dissemblable prend nécessairement une forme radicale, quand l'objet et ses qualités font un ensemble indissociable et singulier, où chaque nuance elle-même n'est pas le simple degré d'une échelle qualitative, mais semble donnée dans la chose dont elle fait partie comme une réalité substantielle. Tant que l'analyse catégorielle de l'objet reste impossible, il ne peut que s'opposer à tous les autres. Les croire modifiables, c'est plus ou moins les croire transmutables de l'un dans l'autre.

A l'imaginer l'enfant rencontre d'autant moins d'obstacle qu'il y a dans l'exercice même de sa pensée à la fois plus de discontinuité et plus de répétitions [1]. Les défaillances de l'accommodation mentale l'obligent à rattraper l'objet, dont la réalité a ainsi comme quelque chose d'intermittent. Dans l'intervalle, réflexes de curiosité et diversions affectives peuvent avoir altéré le champ conceptuel, et l'objet n'y trouvera plus les mêmes conditions de structure qu'avant, de telle sorte qu'il peut être considéré tour à tour comme un autre ou comme le même. Aux retours de l'objet se combinent enfin des retours d'actes déjà périmés, mais qui se survivent dans l'appareil psychomoteur ou mental et qui mêlent aux réponses voulues

1. Voir IIIe partie, chap. 5.

par l'objet nouveau la réponse à des objets antérieurs. Cette assimilation subjective, se superposant à des changements par saccades, peut rendre compte des illusions auxquelles l'enfant doit faire face, et des solutions extrêmes qu'il lui faut accepter dans le problème du même et de l'autre.

Son esprit est loin d'être inactif dans ce tissage de ses pensées entre elles. Piaget a donné un bel exemple de transduction dans ses expériences sur des proverbes et des phrases en nombre égal qu'il s'agit de grouper deux à deux selon que leur sens est semblable. Il a constaté que l'enfant accouple n'importe quel proverbe à n'importe quelle phrase et n'est pas embarrassé pour justifier le rapprochement le plus incohérent. En passant de l'un à l'autre, sa pensée découvre ou forge des analogies qui seraient impossibles sans l'éclipse intermittente, alternante ou partielle des deux objets comparés et sans l'assimilation mutuelle de leurs parties, par le moyen de schèmes intellectuels qui sont plus d'origine subjective que suscités par les traits de la réalité proposée. Les opérations de la pensée se substituent plus ou moins à son objet.

Celle de l'enfant pourrait être regardée comme du type narratif, mais avec de sérieuses réserves. Il raconte plus qu'il n'explique. Il ne connaît d'autres rapports entre les choses ou les événements que leur succession dans l'image qu'il s'en fait ou dans le récit qu'il en donne. Ses mots préférés de liaison sont « et puis », « des fois » (d'où est sorti sans doute le « il était une fois » des contes), « quand », « alors ». Mais les circonstances ne s'ajoutent entre elles que selon l'occasion fortuite, le désir ou l'inspiration du moment, les schèmes habituels ou récents. Leur résultat ne forme pas une véritable unité de réalité ni de sens. Il y manque cette proportion entre les parties qui donne aux récits ou aux œuvres, même les mieux emplis d'imprévu, une forme plus impressionnante ou plus convaincante : entre l'événement où ils courent et les prémisses de toutes sortes qui l'amènent, il faut comme une équivalence, même inattendue et surprenante. Cette mise en équation où tend tout effort pour comprendre les choses ou en rendre compte est des plus difficiles pour l'enfant, et c'est pourquoi, en particulier, il manie si imparfaitement la notion de causalité.

La causalité est pourtant immanente à tous ses désirs, à toutes ses actions ; elle guide tous ses essais ; elle a pour cadre toutes les situations où il se meut. Elle s'exprime dans sa volonté de puissance ; elle s'impose à lui dans tous les obstacles qu'il rencontre. Mais elle commence par être si particulière à chaque cas, tellement diffuse entre tous les termes de l'acte : le sujet, son but, ses moyens, qu'il est impossible de l'individualiser en la localisant quelque part, en la distinguant de ses effets, en la prolongeant au-delà de l'actuel. Elle ne peut se faire connaître, à moins d'une première dissociation entre le moi et ce qu'il s'oppose comme étranger : l'autre et l'extérieur. Les questions de causalité : « pourquoi ? » suivent de plusieurs semaines les questions de lieu et de sympathie, qui sont presque simultanées. Elles sont elles-mêmes à peu près contemporaines des questions de temps. En effet, la distinction locale de soi et d'autrui est indispensable pour que la participation puisse devenir simple sympathie. Et sans dépassement du moment présent il n'y a ni antériorité ni survivance imaginables de la cause à ses effets.

La première causalité qui se dessine pour l'enfant est dans ses rapports avec autrui. Il n'obtient rien, d'abord, que par l'intervention de son entourage, qui est la source d'actions si diverses qu'il n'en résulte pas que de simples habitudes sans surprise, mais aussi une attente vigilante et prête aux nouveautés. Il a pu sembler que l'animisme, par où l'enfant débute, s'expliquerait par l'antériorité sur les autres de cette causalité humaine, dont il transférerait les traits à toutes les autres causes reconnues. Mais il ne saurait la saisir avant le jour où il devient capable de se percevoir lui-même comme distinct des existences environnantes et comme existant au-delà de toutes ses impressions momentanées. Elle est complémentaire du sentiment qu'il a de lui-même comme sujet. Ce dédoublement en miroir commencera par se produire dans son contact avec les choses inanimées. La première formule de la causalité est un couple dans lequel l'action et l'impression, d'abord confondues, se polarisent. Mais entre les deux pôles

les rapports sont d'abord incertains ou ambivalents. L'enfant qui vient de se jeter sur un pied de table le frappe avec rancune, comme si le pied de table s'était jeté sur lui.

Plutôt que d'entreprendre une énumération plus ou moins complète des types de causalité observables chez l'enfant, mieux vaut, sans doute, voir de quels principes ils procèdent. Elle répond à un double besoin, celui de l'action utile ou nécessaire et celui de lier l'identique au changeant. Au point de départ, d'un côté le syncrétisme, où le subjectif, sous sa forme active et passive, se mêle à l'objectif ; de l'autre la transduction, et son corollaire le métamorphisme. Il s'agit d'en faire sortir l'immanence de la cause à l'effet et le transitivisme qui explique le passage de l'une à l'autre. Les solutions données à ce problème dépendront d'un matériel d'analogies que l'enfant tient de son expérience usuelle, mais surtout des dissociations qu'il sera capable d'opérer dans les données brutes de l'expérience, pour ramener chaque facteur de la réalité à la série dont il fait partie et pour constituer ainsi des séries spécifiques de causes et d'effets. Le progrès de la causalité chez l'enfant est ainsi lié au développement de la fonction catégorielle.

Les formes les plus primitives de la causalité seront celles où les distinctions catégorielles seront au minimum : le volontarisme, où les vœux du sujet paraissent prétendre à empiéter sur le réel au point de s'y substituer ; ce qu'on a appelé le magisme, où les moyens d'exprimer la réalité se confondent encore avec elle et semblent par leurs modifications pouvoir la modifier ; la simple affirmation d'identité qui fait de l'objet sa propre cause : « la lune existe, parce que c'est la lune », ou qui explique son existence par celle d'objets semblables dans le présent ou dans le passé ; le finalisme, qui, dans la plupart des cas, est plutôt une affirmation d'identité ou de convenance réciproque que l'expression vraie d'un rapport de but à moyens ou intentions. En vis-à-vis, le métamorphisme, ou acceptation des successions les plus hétérogènes comme pouvant être les aspects d'une seule et même chose.

D'un niveau déjà plus élevé, les cas où la partie est invoquée comme la cause du tout, la qualité comme celle de l'objet, une circonstance souvent fortuite comme celle d'une existence donnée, une chose comme celle d'une autre chose, mais avec une motivation plus ou moins précise : « la lune, c'est les fumées quand il fait froid » (Piaget). Vient alors l'artificialisme qui est la simple application des procédés employés par l'homme à l'explication des faits naturels, mais qui exige un pouvoir plus ou moins développé de discerner entre les moyens et le résultat. Enfin l'enfant arrivera à exprimer la causalité mécanique, dont il a déjà le maniement dans la pratique, mais qui ne peut se concevoir intellectuellement sans une dépersonnalisation complète de la connaissance ni sans le pouvoir de distinguer entre les objets, d'analyser leurs structures et leurs rapports. Un progrès ultérieur doit le mener à la notion de loi ; mais il appartient seulement à l'adolescence de la réaliser : le fait s'absorbe alors dans la formule comme dans la puissance capable de le faire se reproduire, ou de le vérifier, un nombre indéfini de fois.

CHAPITRE 12

LA PERSONNE

Dans le développement de l'enfant, sa personne, elle aussi, se forme, et les transformations qu'elle subit, souvent méconnues, ont au contraire un relief et un rythme accentués. Entre les étapes qui précèdent et qui suivent, seule a toujours retenu l'attention celle qui répond à la crise pubertaire, où se termine l'enfance, parce qu'elle est précisément une crise de conscience et de réflexion. Mais c'est dans les tout premiers débuts de la vie psychique, dans sa période affective, que l'évolution de la personne prend son origine. Sans doute est-elle déjà profondément influencée par les réactions sous-jacentes ou antérieures de la vie neuro-végétative : l'équilibre viscéral des premières semaines et des premiers mois peut déjà orienter les assises profondes du futur comportement. Quant aux premières prises de contact entre le sujet et l'ambiance, elles sont d'ordre affectif : ce sont les émotions.

Le contact émotif quand il s'établit est en réalité une sorte de contagion mimétique [1], dont la conséquence est d'abord, non pas la sympathie, mais la participation. Le sujet est tout

---

1. Voir IIIe partie, chap. 9.

entier dans son émotion ; il est uni, confondu par elle avec les situations qui y répondent, c'est-à-dire avec l'ambiance humaine d'où résultent le plus souvent les situations émotionnelles. S'aliénant en elles, il est incapable de se saisir lui-même comme distinct de chacune et comme distinct d'autrui. Il ne s'agit plus de savoir, avec l'ancienne psychologie introspective, comment de sa connaissance propre l'individu peut passer à celle d'un autre individu, mais au contraire comment il éliminera des réactions qui le mêlent au milieu ce qui n'est pas sien, ce qui vient de l'étranger. L'enfant doit opérer les différenciations nécessaires dans son expérience réelle, et non faire l'effort de lui donner un double purement hypothétique. Toute une période de son activité le montre effectivement occupé, avec les personnes de son entourage qui veulent bien s'y prêter, à des jeux de réciprocité ou d'alternance, où il se porte successivement aux deux pôles, actif et passif, d'une même situation. Rien qui soit plus propre à lui faire discerner de la sienne l'action conjuguée de son partenaire. Ce ne sont pourtant encore que deux pièces, ajustées entre elles, d'un même ensemble.

Bien que la marche et la parole lui donnent, au cours de la troisième année, mille occasions de diversifier ses rapports avec le milieu, sa personne reste enchâssée dans les circonstances habituelles de sa vie, sans parvenir à se saisir dégagée d'elles. Sans doute il va et vient à travers les objets, se déplace, les déplace, les reçoit, les donne, les prend, les perd, les retrouve, les casse et apprend ainsi leur mutabilité indéfinie par rapport à sa personne, toujours la même. Les propos qui s'échangent viennent vers lui, parlent de lui, s'adressent à d'autres, et le sentiment constant de sa propre présence contraste avec la variabilité des interlocuteurs. Néanmoins il reste comme lié lui-même à tel objet familier, à telle situation ou au point de vue de celui qui lui parle. Son berceau ne peut servir à son petit frère, parce que c'est son berceau à lui, comme pour l'éternité, ou du moins c'est à lui de le prêter. Mais, entrant à l'école, la petite sœur donne pour son nom celui de son aînée, qui y allait avant elle, de la même façon que le petit garçon de Stern, perdant avec la naissance d'une petite sœur sa place de plus jeune dans la famille, se prenait lui-même pour sa sœur aînée. Réciproquement d'ailleurs, les personnes d'autrui ne peuvent être séparées de leurs lieux ou de leurs actes habituels. A son père qui la rejoint à la campagne une petite fille lui oppose « son papa de Vienne », sans arriver d'abord à réaliser l'assimilation ; ou bien elle demande à sa mère qui chante une chanson plusieurs fois entendue d'une autre : « Es-tu donc tante Elsa ? » D'autre part, l'enfant s'entretient avec lui-même, se dit merci, se répète les consignes d'autrui, se fait des reproches ou, au contraire, fait retomber sur un plus jeune, sur sa poupée, ceux qu'il s'est attirés, se complimente, tient successivement les différents personnages d'un dialogue avec lui-même. Il se substitue à son petit frère qui joue et, pour l'amuser, lui prend son jouet qu'il agite, en s'indignant de le voir mécontent.

Brusquement vers trois ans ce confusionnisme cesse, et la personne entre dans une période où son besoin d'affirmer, de conquérir son autonomie va la jeter d'abord dans une série de conflits. C'est pour commencer, une opposition souvent toute négative, qui lui fait affronter les personnes d'autrui sans autre motif que d'éprouver sa propre indépendance, sa propre existence. Le seul enjeu de la victoire, c'est la victoire elle-même : vaincu par une volonté plus forte ou par la nécessité, l'enfant ressent une diminution douloureuse de son être ; vainqueur, une exaltation qui peut, elle aussi, ne pas être sans inconvénient. Cette crise lui est nécessaire : trop effacée, elle peut annoncer une molle complaisance, un obtus sentiment de responsabilité ; trop disputée, une indifférence découragée ou le goût des revanches sournoises ; trop aisée, une jactance qui lui retire toute utilité, en immergeant l'existence d'autrui, au lieu de la faire saillir, et qui peut devenir la source de conflits ultérieurs, d'où l'enfant risque de sortir beaucoup plus humilié.

En même temps disparaissent les dialogues avec soi-même. Il semble que l'enfant ne sache plus parler qu'en son propre nom, que la considération maintenant obligatoire d'autrui rende son propre point de vue exclusif et irréversible. Même situation pour la possession des objets. Ils ne sont plus nécessairement à celui qui se trouve maintenant les détenir ; un usage même long ne les attache pas indéfectiblement à la personne. Ne comptent plus à présent que les rapports entre les personnes. L'enfant s'aperçoit que, s'il a donné son jouet, il doit y renoncer définitivement, de même que le cadeau reçu constitue pour lui un droit incontestable. Il se sent frustré, non dans sa jouissance des choses, mais dans sa personne, si son bien est donné sans son consentement à un autre. Il se pose le problème de l'appropriation et souvent il conclut que force fait loi : s'il domine, il peut prendre.

La comparaison constante qu'il fait de soi et des autres rend sa discrimination des personnes très exigeante. Les rapports de valeur qu'il imagine entre elles et avec lui-même l'emportent sur la logique la plus évidente des situations. S'il vient de mordre sa petite sœur, il veut bien en demander pardon à son père, à sa mère, à sa gouvernante, à la cuisinière, mais pas à l'enfant mordu (E. Kœhler). A un petit camarade dont il est jaloux, il refuse avec pâleur et transe de prêter son jouet, mais il le confie avec élan à sa gouvernante. En contre-partie, Stern a noté qu'il peut faire montre d'altruisme véritable, non plus seulement en partageant avec d'autres ses plaisirs, mais en s'infligeant au profit d'autrui un désagrément ou une privation.

Ce dédoublement du but mis en autrui, de la peine gardée pour soi, coïncide avec le pouvoir qu'il acquiert de réagir, en opposition avec la situation présente, à des situations dont il garde le souvenir ou qu'il prévoit. Entre ses rêveries et le réel, il commence à savoir distinguer, et de les mêler à nouveau dans ses jeux lui sera une source de plaisir [1]. En même temps, il devient capable de duplicité, amateur de ruse, se donnant l'air de poursuivre une action contraire à ses fins réelles. Il fait mine d'offrir ses jouets pour mieux prendre ceux des autres. Ce moment est décisif dans son évolution. Il prend

---

1. Voir IIe partie, chap. 5.

conscience de ce qu'il doit paraître et de sa vie secrète.

Cet âge a été signalé par des psychologues de différentes écoles comme celui d'un profond travail affectif et moral. La période de 3 à 5 ans est, selon Freud, celle de l'enfance où la libido a sa plus grande activité, celle où s'élaborent des complexes qui pourront perpétuer, par transfert à travers les situations toujours nouvelles de l'existence, des attitudes morales, des fixations affectives de l'enfance, restées inavouées. C'est celle où peuvent se nouer des passions d'autant plus chargées d'angoisse qu'elles restent plus dissimulées : jalousies à l'égard d'un petit frère ou à l'égard des parents. Assurément la jalousie suppose encore une demi-confusion de soi et d'autrui [1]. Pour en souffrir, il faut que l'image d'autrui nous entraîne après elle, comme si nous devions réellement participer aux mêmes situations. Mais aussi l'intensité du préjudice éprouvé dépend des avantages que la personne prétend s'attribuer et du vif sentiment qu'elle a d'elle-même.

Or il se trouve précisément qu'à la phase négative d'opposition qui éclate vers trois ans en succède une de personnalisme plus positif qui, elle-même, se présente en deux temps contrastés. Le premier se signale par ce que Homburger a dénommé « l'âge de grâce ». Vers quatre ans, en effet, se produit une transformation dans les mouvements de l'enfant. Jusque-là ils pourraient se comparer aux gestes pataudsd'un jeune chien, qui vont à leur but, mais paraissent chaque fois tomber dessus. Brusquement, une sorte de liaison intime semble les porter jusqu'à leur parfaite exécution. Ils sont comme s'ils se poursuivaient pour eux-mêmes et, en fait, l'enfant semble souvent leur prêter beaucoup plus d'attention qu'à leur motif, à leur occasion, à leur prétexte extérieur. Il se substitue lui-même comme objet à l'objet. Sa personne, d'abord bouclier à l'égard d'autrui, l'occupe maintenant, par-dessus toutes choses, de sa propre réalisation esthétique. Cette ferveur pour soi-même ne va pas d'ailleurs sans inquiétudes, déceptions, ni conflits.

---

1. Voir *Les origines du caractère chez l'enfant*.

L'enfant ne peut se plaire à lui-même que s'il a le sentiment de pouvoir plaire à d'autres il ne s'admire que s'il se croit admiré. L'approbation dont il a besoin, c'est la survivance de la participation qui le joignait d'abord à autrui. Mais, détendue, cette participation laisse un vide d'incertitude. Dans la mesure où il se regarde, il se sent regardé ; mais, dans la même mesure précisément, il sait que les deux jugements peuvent différer. L'âge de la grâce est celui aussi de la timidité. Le geste arabesque peut être aussi le geste refoulé, honteux et raté.

Ce duel entre le besoin et l'appréhension de s'affirmer, de se montrer, mène à un second temps plus positif que le premier, à un nouvel affrontement du moi et d'autrui, à une nouvelle forme de participation et d'opposition. Au contenu, trop personnel et trop grêle pour ne pas lui inspirer d'inquiétude, que sont les simples gestes tirés de ses aptitudes naturelles, il va en substituer un dont il cherchera la source chez ces témoins dont il redoute la sévérité. Au goût d'imiter, qui marque cette période, contribue toute l'évolution mentale du moment : le sentiment craintif d'isolement que causent à l'enfant ses propres réflexes d'opposition et de parade ; sa curiosité et son appétit des êtres qu'il rejette aux confins de lui-même, après avoir été mêlé à eux par ses propres réactions ; un désir intime, irrésistible d'attachement aux personnes. Comme dans le *Banquet* de Platon, l'amour naît de la division, et les parties désunies se recherchent. De toute sa sensibilité posturale, l'enfant se modèle sur les personnes de son entourage dont il subit l'attrait et se prépare à les imiter. Mais à cette époque d'éréthisme personnel il ne peut pas faire autrement que de se préférer à elles et de les détester dans la mesure où elles le dépassent. L'imitation est volonté de se substituer autant qu'admiration aimante. Plus tard, elle pourra être plus exclusivement l'une ou l'autre.

De trois à six ans, l'attachement à des personnes est une inextinguible nécessité pour la personne de l'enfant. S'il en est privé, il est victime soit d'atrophies psychiques dont son goût de vivre et sa volonté garderont la tare, soit d'angoisses qui lui donneront le pli de passions pénibles ou perverses. A cet âge, le *guru* hindou Natarajan dit que son éducation doit être nourrie de sympathie, le sevrage devant commencer à s'effectuer entre cinq et six ans, pour être terminé vers sept. C'est le moment où, dans notre pays, l'enfant passe de l'école maternelle à l'école primaire. Ce changement répond à une étape importante de sa vie psychique.

La période qui va de sept à douze ou quatorze ans paraît servir de façon beaucoup plus pauvre au développement de la personne, l'action et les curiosités de l'enfant se tournant vers le monde extérieur, où il poursuit son apprentissage de petit praticien. Pour être moins en vedette cependant, elle n'en continue pas moins son évolution vers une autonomie croissante. Celui dont les besoins d'attachement personnel persistent à prévaloir trop exclusivement commence par en être vivement châtié par les membres du groupe dont il fait désormais partie. C'est l'âge où s'exercent les brimades à l'égard de ceux que l'école semble dépayser parce que leur besoin de la famille y reste trop apparent ou qui cherchent à obtenir du maître une attention toute personnelle.

En face des adultes, le groupe des enfants paraît dès lors vouloir constituer une société égalitaire, où sans doute des différenciations individuelles se produiront, mais ne seront pas exclusives et absolues comme l'est une prédilection d'être à être. Entre les enfants, les rangs deviennent variables. Le premier en orthographe peut être le dernier à la course. Les rapports mutuels se diversifient selon le moment, les tâches ou le milieu. Le groupe se fractionne en sous-groupes qui échangent leurs membres suivant l'occasion : en classe, au jeu, dans les différents jeux, les camarades auxquels se réunit le même enfant peuvent ne pas être les mêmes. Il n'est plus sous le signe d'un indice unique, qui lui donnerait une place immuable dans une constellation inchangeable. Il est au contraire incessamment mutable d'une catégorie à l'autre. Ce n'est pas là une simple situation de fait comme antérieurement. C'est une notion qui s'intègre à sa conscience personnelle. Il se connaît lui-même comme simultanément le lieu de diverses possibilités. Sa personne est maintenant dans la phase catégorielle. La diversité même des cadres où elle peut entrer, dans lesquels il est possible de l'imaginer, lui donne plus de cohésion. Une modification quelconque dans ses qualités ou ses rapports ne l'oblige pas à se renoncer tout entière, comme font ces enfants qui s'attribuent le nom d'un autre quand quelque chose change dans leur situation.

Plusieurs années durant, la personne de l'enfant se familiarise ainsi avec les combinaisons les plus diverses, comme sa connaissance des choses avec leurs emplois et leurs propriétés. Son adaptation au milieu paraît avoir approché de tout près celle de l'adulte, quand vient la poussée pubertaire qui rompt l'équilibre de façon plus ou moins soudaine et violente. La crise qui en résulte peut être comparée à celle de trois ans et des années qui suivent. Mais elle lui est plutôt symétrique que semblable. Elle débute aussi par de l'opposition, mais qui vise moins les personnes qu'à travers elles des habitudes de vie tellement coutumières, des relations tellement invétérées que jusqu'alors l'enfant ne semblait même pas s'aviser de leur existence. Le retour d'attention sur sa propre personne cause chez l'adolescent aussi les mêmes alternances de grâce et d'embarras, de maniérisme et de maladresse. Mais, alors que le petit enfant tendait, pour finir, vers l'imitation de l'adulte, le jeune homme semble vouloir à tout prix se distinguer (crise d'originalité de Debesse) : il ne s'agit pas de conformisme, mais de réforme et de transformation. Le besoin d'attachement personnel est vif, mais il aspire moins à une protection qu'à la domination, à la substitution qu'à la possession. Le secret s'impose de nouveau à la conscience, mais il n'est plus strictement solitaire, il voudrait être partagé, s'exprimer par des traits tout à la fois évidents et énigmatiques pour le complice. Il ne cherche pas à masquer une volonté intime ; il se projette dans les choses, dans la nature, dans la destinée sous forme de mystère à éclaircir. Son objet n'est plus strictement concret et personnel, mais métaphysique et universel.

La personne semble alors se dépasser elle-même. Aux relations diverses de société qu'elle venait d'accepter et où elle semblait s'être effacée, elle cherche une signification, une justification. Elle confronte entre elles des valeurs et se mesure à elles. Avec ce nouveau progrès s'achève la préparation à la vie qu'était l'enfance.

CONCLUSION

LES AGES SUCCESSIFS DE L'ENFANCE

L'âge de l'enfant, c'est le nombre de jours, de mois, d'années qui le séparent de sa naissance. Les « âges de l'enfance » ont-ils une signification différente ? Selon plusieurs auteurs, il y a continuité dans le développement psychique à partir de certaines données élémentaires : sensations ou schèmes moteurs par exemple. Les circonstances et l'expérience aidant, elles s'ordonnent et se combinent en systèmes qui ouvrent à l'activité du sujet un champ de plus en plus vaste. La complication des systèmes fixe leur ordre de succession. Leur rythme de développement est pratiquement le même chez tous les individus, car dans la même espèce ils se ressemblent plus qu'ils ne diffèrent, et les conditions fondamentales du milieu sont identiques. Il y a donc coïncidence exacte entre le niveau d'évolution et l'âge de l'enfant. La succession des âges, c'est la succession des progrès. Chaque moment de l'enfance est un moment de l'addition qui se poursuit de jour en jour. Les âges de l'enfant et ceux de l'enfance ne sont qu'une seule et même chose.

Pour d'autres auteurs, les systèmes de la vie psychique ne sont pas des assises se superposant simplement entre elles par la combinaison d'éléments graduellement plus organisés, mais pourtant commune à toutes. Il y a des moments de l'évolution psychique où les conditions sont telles qu'un ordre nouveau de faits devient possible. Il n'abolit pas les formes précédentes de vie ou d'activité, puisqu'il en procède, mais avec lui apparaît un mode différent de détermination qui règle et dirige les déterminations plus élémentaires des systèmes antérieurs : les intégrations progressives qui s'observent entre fonctions nerveuses en sont un exemple. Ces mutations exigent, pour se produire, des périodes de latence ; elles rendent la croissance discontinue, la divisent en étapes ou en âges qui ne répondent plus, instant par instant, à l'addition des jours, des mois et des années. Une succession plus ou moins longue d'âges chronologiques peut s'encadrer dans la durée d'un même âge fonctionnel. Il n'y a plus similitude entre les âges de l'enfant et ceux de l'enfance.

Ces révolutions d'âge en âge ne sont pas improvisées par chaque individu. Elles sont la raison même de l'enfance, qui tend à la réalisation de l'adulte comme exemplaire de l'espèce. Elles sont inscrites à leur moment dans le développement qui doit y mener. Sans doute, les incitations du milieu sont indispensables pour qu'elles se manifestent, et plus s'élève le niveau de la fonction, plus elle en subit les déterminations : que d'activités techniques ou intellectuelles sont à l'image du langage, qui est pour chacun celui de son entourage. Mais la variabilité du contenu selon l'ambiance n'en atteste que mieux l'identité de la fonction, qui n'existerait pas sans un ensemble de conditions dont l'organisme est le support. C'est lui qui doit l'amener à maturation pour que le milieu l'éveille. Ainsi le moment des grandes mutations psychiques est-il marqué chez l'enfant par le développement des étapes biologiques.

Cependant le chevauchement des progrès suivant les niveaux de la fonction paraît à certains effacer la distinction des périodes. Il est bien vrai, en effet, qu'une difficulté n'est pas simultanément résolue pour tous les plans de l'activité mentale ; la solution trouvée ne les gagne que tour à tour et, lorsqu'elle atteint les activités plus abstraites ou plus complexes, il arrive qu'une autre plus évoluée l'ait remplacée au niveau des simples ou des concrètes. Identifier âge et progrès ne serait-ce pas se mettre dans la nécessité de faire converger sur le même instant plusieurs âges différents ? Les périodes simultanément atteintes étant diverses, il n'y aurait donc plus de seuil répondant à des âges successifs. Pourtant les plans d'activité subsistent et, quel que soit l'enchevêtrement des progrès et des formes suivant les niveaux fonctionnels, il subsiste des ensembles qui ont bien chacun sa marque, son orientation spécifiques et qui sont une étape originale dans le développement de l'enfant.

Les premières semaines de la vie sont totalement accaparées par l'alternance du besoin alimentaire et du sommeil. La turgescence des organes génitaux a été pourtant observée dans les jours qui suivent la naissance ; elle peut aller chez la petite fille jusqu'à des pertes sanguines : due évidemment à l'influence d'hormones, elle est de mécanisme et de signification encore mal connus. C'est l'acte de nutrition qui assemble et oriente les premiers mouvements ordonnés de l'enfant. Mais ce champ encore très étroit est largement débordé par les gesticulations auxquelles il se livre quand il est démaillloté ou dans son bain. Leur notation minutieuse permet d'y relever un double courant : d'une part, disparition de certaines réactions spontanées ou provoquées, qui sont comme résorbées ou inhibées par des activités moins automatiques ; d'autre part, émergence de gestes nouveaux qui répondent souvent à une dissociation d'actions musculaires globales et qui ont tendance à se raccorder entre eux, par fragments susceptibles d'une certaine continuité. A partir du troisième mois, ces progrès du mouvement deviennent la grande occupation du nourrisson.

Ses manifestations affectives étaient d'abord limitées au vagissement de la faim ou de la colique et à la détente de la digestion ou du sommeil. Leur différenciation est d'abord très lente. Mais, à six mois, l'appareil dont l'enfant dispose pour traduire ses émotions est assez varié pour en faire une vaste surface d'osmose avec le milieu humain. C'est là une étape capitale de son psychisme. A ses gestes s'attache une certaine efficacité par le moyen d'autrui ; à ceux d'autrui des prévisions. Mais cette réciprocité est d'abord complet amalgame ; c'est une participation totale, où il aura plus tard à délimiter sa personne, profondément fécondée par cette première absorption en autrui. Synchronisme à noter : c'est à six mois aussi que l'intérêt de l'enfant pour les couleurs semble débuter.

Dans le dernier tiers de la première année commencent à se systématiser les exercices sensori-moteurs. Par eux les mouvements se lient aux effets perceptifs qui peuvent en résulter. Impressions proprioceptives et sensorielles apprennent à se correspondre dans toutes leurs nuances. Enchaînant leurs variations en séries prolongées, elles procèdent à leur exploration mutuelle. La voix affine l'oreille et l'oreille assouplit la voix ; les sons que leur concours a permis de discerner et d'identifier sont ensuite reconnus quand ils sont d'origine extérieure. La main que l'enfant déplace pour la suivre du regard dans toute la fantaisie de ses arabesques distribue les premiers jalons du champ visuel. Ainsi repérés grâce à la sensibilité proprioceptive, les champs perceptifs peuvent alors fusionner et, du même coup, ils éliminent ou plutôt relèguent dans l'anonymat leur initiatrice, qui avait elle-même pris le pas sur la sensibilité intéroceptive ou viscérale. De l'un à l'autre, le même objet devient identifiable, et leur ensemble prend assez de réalité pour que l'enfant puisse y chercher l'objet disparu ou simplement révélé par un indice unisensoriel.

Mais la marche, puis le langage, qui se développent au cours de la deuxième année, viennent encore renverser l'équilibre du comportement. Les objets que l'enfant peut aller chercher et transporter, dont il sait qu'ils ont un nom, se détachent du fond, sont manipulés pour eux-mêmes. Il les prend, les pousse, les traîne, les déplace, soit à la main, soit dans une voiture, il les entasse, soit indistinctement, soit par catégories, il emplit ou vide boîtes et sacs. Mais, sur un autre plan, l'indépendance que donne à l'enfant son pouvoir d'aller et venir par lui-même, la plus grande diversité de relations avec l'entourage que lui assure déjà la parole rendent possible une affirmation plus tranchée de sa personne. A trois ans débute la crise d'opposition, puis d'imitation, qui durera jusqu'à cinq.

Dans le temps qu'il veut se manifester distinct d'autrui, il se montre graduellement plus capable de distinguer entre les objets et de les trier selon leur couleur, leur forme, leurs dimensions, leurs qualités tactiles, leur odeur [1]. Puis vient l'âge de quatre ans, où ses attitudes et ses façons le montrent attentif à ce qu'elles peuvent être et paraître. Alors aussi il commence à rougir d'une incongruité ou d'une maladresse, et inversement il en tire des moyens de moquerie ou d'amusement. Les grimaces, les facéties grotesques le divertissent. Il aime rire et se voir rire. Son nom, son prénom, son âge, son domicile lui deviennent une image de son petit personnage, dont il se fait d'ailleurs comme un témoin de ses propres pensées. Apte déjà à s'observer, il s'éparpille moins et poursuit l'occupation commencée avec plus de tranquillité et de persévérance. Il se contemple dans ses œuvres et s'attache à ce qu'il a fait. Il le compare et se compare. L'émulation naît et avec elle un premier besoin de camaraderie. Cependant les groupes qui se forment sont encore du type grégaire, chacun y prend spontanément sa place de suiveur ou de chef. Mais déjà l'enfant ne se borne pas à mettre plus de nuances dans son discernement des objets et de leurs qualités, sa perception devient plus abstraite, il commence à distinguer entre les dessins, les lignes, les directions, les positions, les signes graphiques. Pourtant l'observation proprement dite des choses, où le détail exige un perpétuel retour à l'ensemble, le multiple et le divers à l'un et au permanent, dépasse encore ses capacités.

Après cinq ans s'annonce l'âge scolaire, où l'intérêt va se renverser du moi vers les choses. Cependant le passage sera lent et difficile. Jusqu'à six ans et au-delà, l'enfant reste engagé dans

---

1. Voir à ce sujet les articles de Mme PIQUEMAL, de Mlles FONTENEAU et TRUILLET, dans *Organisation et fonctionnement des écoles maternelles*, A. Colin, p. 37-51.

son attitude et ses occupations présentes, son activité a quelque chose d'exclusif, il est incapable d'évolution rapide entre les objets ou les tâches. Pour arracher ses petits élèves à ce qu'ils font et leur proposer un nouveau thème d'attention, une maîtresse a imaginé de les entraîner à l'exécution automatique d'un geste interrupteur, qu'ils doivent exécuter quand elle-même en donne le signal. L'enfant qui apprend à lire perd soudain les habitudes antérieurement acquises de manipulations pratiques et d'investigations concrètes : une orientation nouvelle peut donc complètement suspendre l'ancienne.

L'école exige au contraire une mobilisation sur commande des activités intellectuelles vers des matières successivement et arbitrairement diverses : elle a même souvent abusé de la permission [1]. Les tâches imposées doivent plus ou moins détacher l'enfant de ses intérêts spontanés ; et trop fréquemment, elles n'obtiennent de lui qu'un effort contraint, une attention artificielle ou même une vraie somnolence intellectuelle. Elles sont, en bien des cas, des exercices dont l'utilité ne peut être qu'à échéance lointaine et n'apparaît pas à l'exécutant. Aussi a-t-il semblé nécessaire de soutenir son activité par des stimulants accessoires ; c'est le but des récompenses et des punitions, dont la formule essentielle est encore, pour beaucoup, « le morceau de sucre ou la trique », c'est-à-dire un simple procédé de dressage. A l'autre extrême, ceux qui prétendent faire reposer les activités obligatoires de l'enfant sur son sentiment de responsabilité. Les uns retardent, les autres anticipent. L'animal dressé rend geste pour signe, suivant les associations qui lui ont été inculquées ; il n'exécute pas une *tâche*, où il y a poursuite d'un but, ajustement de moyens, règles à observer et portée soutenue de l'effort. Mais, successivement absorbé dans chacune de ses tâches, l'enfant ne paraît pas non plus capable d'en faire supporter le poids par l'image qu'il se donnerait de ce qu'il se doit à lui-même : y faire prématurément appel, c'est lui en dicter les traits, c'est lui impo-

1. C'est à quoi veut remédier la méthode « du centre d'intérêt » (Decroly).

ser une dépendance factice, mal comprise, loin de favoriser l'évolution de son autonomie.

La période de sept à douze ou quatorze ans est celle où l'objectivité se substitue au syncrétisme. Les choses et la personne cessent peu à peu d'être les fragments d'absolu qui s'imposaient successivement à l'intuition. Le réseau des catégories fait rayonner sur elles les classements et les rapports les plus divers. Mais l'animateur en est l'activité propre de l'enfant. Elle-même, elle entre dans sa phase catégorielle : il s'agit alors pour elle de s'assigner les tâches entre lesquelles elle devient capable de se distribuer, afin d'en tirer les effets dont chacune est susceptible. L'intérêt pour la tâche est indispensable et laisse loin derrière lui le simple dressage. Il peut suffire et il devance de loin le souci de toujours engager son propre personnage dans sa conduite.

Le goût que l'enfant prend aux choses peut se mesurer au désir et au pouvoir qu'il a de les manier, de les modifier, de les transformer. Détruire ou construire sont les tâches qu'il ne cesse de s'assigner à leur égard. Ainsi, il en explore les détails, les rapports, les ressources diverses. C'est aussi en vue de tâches déterminées qu'il fait choix de ses camarades. Suivant les jeux ou les travaux, ses préférences changeront. Assurément, il a des compagnons habituels, mais c'est à leurs entreprises communes que se ramènent tous leurs entretiens. Ils sont unis comme les collaborateurs ou les complices des mêmes besognes, des mêmes projets. L'émulation dans l'accomplissement d'un travail est leur moyen de se mesurer entre eux. Le champ de leurs rivalités, c'est celui de leurs occupations. Il en résulte une diversité de rapports de chacun avec chacun, d'où chacun tire la notion de sa propre diversité selon les circonstances et en même temps de son unité à travers la diversité des situations.

Lorsque l'amitié et les rivalités cessent de se fondre sur la communauté ou l'antagonisme des tâches entreprises ou à entreprendre ; lorsqu'elles cherchent à se justifier par des affinités ou des répulsions morales ; lorsqu'elles semblent plus intéresser l'intimité de l'être que des collaborations ou des conflits effectifs, c'est l'annonce que l'enfance est déjà minée par la puberté. Ici encore l'âge nouveau va rayonner simultanément dans tous les domaines de la vie psychique. Un même sentiment de désaccord et d'inquiétude se fait jour dans ceux de l'action, de la personne, de la connaissance ; dans chacun ce sont des mystères à pénétrer, et c'est un même besoin de possession en quelque sorte essentielle, que la possession actuelle ne suffit pas à satisfaire et qui se cherche des perspectives indéfinies.

D'étapes en étapes la psychogenèse de l'enfant montre, à travers la complexité des facteurs et des fonctions, à travers la diversité et l'opposition des crises qui la ponctuent, une sorte d'unité solidaire, tant à l'intérieur de chacune qu'entre elles toutes. Il est contre nature de traiter l'enfant fragmentairement. A chaque âge, il constitue un ensemble indissociable et original. Dans la succession de ses âges, il est un seul et même être en cours de métamorphoses. Faite de contrastes et de conflits, son unité n'en sera que plus susceptible d'élargissements et de nouveauté.

Bibliographie sommaire

Bourjade, *L'intelligence et la pensée de l'enfant*, Paris, Alcan, 1937.

Claparède, *Psychologie de l'enfant et pédagogie expérimentale*, Genève, Kundig, 1926.

— *Comment diagnostiquer les aptitudes chez les écoliers*, Paris, Flammarion, 1924.

Debesse, *La crise d'originalité juvénile*, Paris, Alcan, 1936.

Decroly (O.), *Études de psychogenèse*, Bruxelles, Lamertin, 1932.

Decroly (O.) et Buyse, *La pratique des tests mentaux* (avec atlas), Paris, Alcan, 1928.

Guillaume (P.), *L'imitation chez l'enfant*, Paris, Alcan, 1925.

— *La formation des habitudes*, Paris, Alcan, 1936.

Luquet, *Le dessin enfantin*, Paris, Alcan, 1927.

Piaget (J.), *Le langage et la pensée chez l'enfant*, Genève, Delachaux et Niestlé, 1930.

— *La représentation du monde chez l'enfant*, Paris, Alcan, 1926.

— *Le jugement moral chez l'enfant*, Paris, Alcan, 1932.

— *La naissance de l'intelligence chez l'enfant*, Genève, Delachaux et Niestlé, 1936.

— *La construction du réel chez l'enfant*, Genève, Delachaux et Niestlé, 1937.

Piéron (H.), *Le développement mental et l'intelligence*, Paris, Alcan, 1929.

Rey (A.), *L'intelligence pratique chez l'enfant*, Paris, Alcan, 1935.

Vermeylen, *La psychologie de l'enfant et de l'adolescent*, Bruxelles, Lamertin, 1926.

Wallon (H.), *L'enfant turbulent: Étude sur les retards et les anomalies du développement moteur et mental*, Paris, Alcan, 1925.

— *Les origines du caractère chez l'enfant*, Paris, Boivin, 1934.

— *Principes de psychologie appliquée*, Paris, Librairie Armand Colin, 2e éd., 1938.

— *La vie mentale*, t. VIII de l'*Encyclopédie Française*, 1938.

TABLE DES MATIÈRES

PREMIÈRE PARTIE

L'ENFANCE ET SON ÉTUDE

DEUXIÈME PARTIE

LES ACTIVITÉS DE L'ENFANT ET SON ÉVOLUTION MENTALE

TROISIÈME PARTIE

LES NIVEAUX FONCTIONNELS

Chez le même éditeur :

G. LEMAINE et B. MATALON	*Hommes supérieurs, hommes inférieurs. La controverse sur l'hérédité de l'intelligence*
Yvonne CASTELLAN	*Initiation de la psychologie sociale*
Maurice CUSSON	*Délinquants, pourquoi?*
Alain DANSET	*Éléments de psychologie du développement*
Pierre DAVID	*La Séance de psychanalyse*
Jean PIAGET	*La Psychologie de l'intelligence*
Bernard VOIZOT	*Le Développement de l'intelligence chez l'enfant*
J. LEPLAT	*Erreur humaine. Fiabilité humaine dans le travail*

La revue *Psychologie française*

Achevé d'imprimer sur les presses de l'imprimerie Hemmerlé, Petit et Cie
2, 4 et 4 bis, rue de Damiette, 75002 Paris
Dépôt légal : septembre 1985 – N° A. Colin : 8910
N° d'impression : 3112.7.1985